La collection « Girouette »
est dirigée par Michel Lavoie

D0714826

Mille millions de misères

Mille millions de misères

Collectif de l'Association des écrivains
québécois pour la jeunesse
sous la direction de Francine Allard

nts d'Ouest

aventure

collection G I R O U E T T E

Données de catalogage avant publication (Canada)

Vedette principale au titre :

Mille millions de misères

(Collection Girouette ; 7. Aventure)
Pour les jeunes de 9 à 12 ans.

ISBN 2-89537-049-4

1. Histoires pour enfants canadiennes-françaises - Québec (Province). I. Allard, Francine. II. Collectif de l'AEQJ. III. Collection : Collection Girouette ; 7. IV. Collection : Collection Girouette. Aventure.

PS8329.5.Q4M52 2002   jC843'.010806   C2002-940847-4
PS9329.5.Q4M52 2002
PZ21.M52 2002

Nous remercions le Conseil des Arts du Canada de l'aide accordée à notre programme de publication. Nous reconnaissons l'aide financière du gouvernement du Canada par l'entremise du Programme d'Aide au Développement de l'Industrie de l'Édition (PADIÉ) pour nos activités d'édition. Nous remercions également la Société de développement des entreprises culturelles ainsi que la Ville de Gatineau.

Dépôt légal –   Bibliothèque nationale du Québec, 2002
                Bibliothèque nationale du Canada, 2002

© Association des écrivains québécois pour la jeunesse & les Éditions Vents d'Ouest, 2002.

Correction d'épreuves : Renée Labat
Illustrations intérieures : Paul Roux
Infographie : Christian Quesnel

Éditions Vents d'Ouest
185, rue Eddy
Hull (Québec) J8X 2X2
Téléphone :   (819) 770-6377
Télécopieur :   (819) 770-0559
Courriel :   ventsoue@ca.inter.net

Diffusion Canada : PROLOGUE INC.
Téléphone :   (450) 434-0306
Télécopieur :   (450) 434-2627

Présentation

RASSEMBLER une douzaine d'écrivains pour remplir tout un recueil
de nouvelles, quel bonheur !

Et si, en plus, ces douze textes tout
aussi originaux les uns que les autres servent à financer un prix littéraire offert à
la relève, le Prix Cécile Gagnon, c'est encore plus merveilleux.

Vous verrez toutes sortes de misères
dans ce recueil, des joyeuses comme des
désastreuses ; vous serez mêlés à des im-
broglios, à des quiproquos, à des bizar-
reries ; vous rirez et vous pleurerez.

Laissez donc ces douze auteurs che-
vronnés (tiens, c'est une maladie, ça ?)
vous raconter ces affections qui ont mis
du piquant dans leur vie.

François Barcelo, qui n'est pas soupe au lait.

Odette Bourdon, qui passe comme une lettre à la poste.

Hélène Grégoire, qui nous refile un bon tuyau.

Diane Groulx, qui nous mène par le bout du nez.

Ann Lamontagne, qui nous rafraîchit la mémoire.

Michel Lavoie, qui nous présente un véritable coup de théâtre.

Carmen Marois, pour qui ce n'est pas la mère à boire.

Sophie-Luce Morin, qui appelle un chat un chat.

Josée Ouimet, qui propose un remède de bonne femme.

Stanley Péan, qui connaît la loi du silence.

Mireille Villeneuve, qui nous ouvre son coffre aux trésors.

Et moi, qui ne me souviens plus…

Francine Allard
Présidente de l'Association des
écrivains québécois pour la jeunesse
Responsable du collectif

Le petit bateau de grand-père Edmond

Francine Allard

*L*AURENTINE *est assise chez le coiffeur. Une gentille dame consent à écouter la petite fille qui bavarde joyeusement en attendant l'heure de son rendez-vous.*

Tu ne connais pas mon grand-père, madame ? Il est grand comme un pommier et il a une barbiche comme un bouc. C'est un drôle de moineau, tu sais. Toujours en train de jouer des tours pour faire rire sa petite Laurentine.

Ouais, je m'appelle Laurentine Martin. J'ai 7 ans et demi. Demain, je vais avec mes parents à Saint-Polycarpe. Il y a une fête pour grand-père. Grand-mère a voulu qu'il mette son habit de marin et sa casquette de capitaine. Tu sais, madame, mon grand-père Edmond, il était dans la marine marchande. Ce sont des matelots qui marchent et qui marchent jusqu'au bout du monde. C'est grand-père Edmond qui me l'a dit.

Je suis ici pour faire friser mes cheveux. Maman veut que je sois jolie pour la cérémonie de demain. Je vais mettre ma belle robe bleue avec un col Claudine. Tu ne la connais pas, Claudine ? Il paraît que c'est elle qui a inventé les cols ronds sur les robes des dames. C'est très ancien apparemment. Je vais mettre mes beaux souliers en cuir verni et mes chaussettes de Walt Disney avec un lapin dessus.

Tu ne sais pas, mais c'est à Walt Disney que tout ça a commencé. C'est à cause d'un voyage en Floride qu'on va fêter grand-père, demain à Saint-Polycarpe. Tu veux que je te raconte ? Il faut que tu m'écoutes jusqu'au bout. Elle est bien longue mon histoire, madame.

Je suis allée à Walt Disney lorsque j'avais 6 ans, avec grand-père, grand-mère, Julien – c'est mon petit frère –, papa et maman. Nous avons couché dans un grand hôtel et, tous les matins, nous prenions le train en sortant de l'ascenseur et nous nous rendions dans les plus belles maisons de Walt Disney. Des fois, nous attendions durant des heures au soleil avant d'entrer, mais les gens étaient gentils. Il y avait des clowns qui fabriquaient des animaux avec des ballons rien que pour nous faire patienter. Grand-père s'amusait à faire semblant de ne pas parler l'anglais. Il disait :

– I don't comperniche, monsieur !

Puis, il se mettait à rire en entraînant mon père, Julien et moi. Maman et grand-mère le disputaient pour qu'il reste tranquille. Grand-mère lui disait toujours :

– Tu es un véritable garnement, Edmond !

Pour être un garnement, il en est vraiment un, oui madame ! Il mâche des grosses boules de gomme, il remonte son pantalon jusqu'aux genoux et il enlève ses chaussures pour faire bouger ses orteils dans les flaques d'eau. Quand je vais chez lui, il m'offre une tasse de thé au lait sucré. Pour voir s'il n'est pas trop chaud pour que je ne me brûle pas la langue, il trempe son gros doigt dedans et moi, je fais « beurk » pour lui montrer que c'est pas bien malin de mettre son gros doigt dans le thé des autres. Grand-mère lui dit :

– Edmond, la petite ne devrait pas boire de thé, elle va avoir du mal à dormir.

Mais elle rit toujours des blagues de son vieux mari parce qu'elle sait bien qu'il fait tout ça juste pour s'amuser.

Le matin, quand je vais dormir chez mes grands-parents, grand-père vient me tirer les gros orteils jusqu'à ce qu'ils craquent. Je crie, et il se sauve en faisant semblant de débouler les marches de l'escalier. Puis, quand je mange mes céréales, nous devons arrêter de respirer pour les écouter crépiter dans mon bol de lait. Cric ! Crac ! Croc ! Grand-père dit que les céréales savent que je vais mordre dedans et qu'elles se plaignent d'avance. Et moi, je ris, madame. Parce qu'il est rigolo, mon grand-père Edmond.

Tu te souviens, je t'ai dit que quand nous étions à Walt Disney, grand-père, Julien et papa étaient partis chercher de la citronnade parce que le soleil nous tapait sur la tête. Grand-mère racontait des trucs à maman qui s'est mise tout à coup à s'énerver.

– Jeudi passé, figure-toi qu'il a encore oublié la bouilloire sur le poêle. Il a fallu que j'aille en acheter une autre. Il n'y a plus une seule bouilloire en bas de trente dollars, tu sais, expliqua ma grand-mère.

– Pourquoi ne l'emmènes-tu pas voir le docteur Ouellette ? demanda maman avec ses gros yeux inquiets.

Ma mère, madame, c'est une nerveuse. Elle voulait que grand-père voie le docteur Ouellette juste parce que les bouilloires sont plus de trente dollars. C'est vrai que mes grands-parents sont trop vieux pour travailler et qu'ils n'ont pas beaucoup d'argent pour acheter des bouilloires neuves à toutes les semaines. Mais je me demande ce que le docteur Ouellette pourrait bien faire pour mon grand-père.

– Ce n'est pas tout ! Le mois passé, il a payé trois fois notre abonnement au journal. Puis, il a oublié de revenir à la maison après sa partie de cartes chez les anciens combattants. Il a fallu que ton oncle Oscar me le ramène après l'avoir cherché durant deux heures. Mon Edmond était assis dans le parc Wilson, et il donnait des morceaux de pain aux pigeons.

– Ça n'a pas d'allure, maman ! Il faut que tu le fasses voir ! déclara ma mère, en serrant ma grand-mère dans ses bras. Pauvre papa !

Je suis d'accord, madame. Il ne faut pas nourrir les pigeons parce que, alors, ils font des crottes sur les bancs des parcs et sur la tête des gens. Mais est-ce assez grave pour que ma mère veuille faire « voir » mon grand-père à tout le monde ? Et qu'elle se mette à courir en direction du comptoir de jus et de glaces de Walt Disney, nous laissant là, toutes les deux, grand-mère et moi ? C'est à ce moment-là que la situation est devenue embarrassante. Mon père est venu à la rencontre de ma mère, qui courait toujours, complètement affolée. Il a dit :

– Martine, ton père a disparu. Il faut le chercher.

– Il est peut-être allé aux toilettes ? suggéra Julien.

– Ou se rafraîchir les pieds dans la fontaine ? que je leur ai dit.

Grand-père, il adore les fontaines. Il en a installé deux dans son jardin pour les oiseaux qui viennent se reposer. Quand il fait chaud, grand-père me soulève et m'assoit sur le rebord de la fontaine et je fais bouger mes pieds dans l'eau fraîche. Mais cette fois-là, à Walt Disney, grand-père n'était ni aux toilettes ni dans la fontaine. Il n'était vraiment nulle part. Moi, madame, j'étais certaine qu'il allait surgir d'entre deux bosquets fleuris ou qu'il allait nous faire peur en jouant le gros ours qui sort de derrière une grosse pierre. Grand-père s'était envolé. Grand-mère s'est mise à pleurer et ma mère la regardait avec ses gros yeux chargés de reproches.

– Je te l'ai dit, maman. Il aurait fallu que tu emmènes papa à la clinique. Ce n'est pas normal à son âge d'oublier des bouilloires sur le poêle ou de s'enfuir comme un petit chiot.

– Edmond n'ira pas à la clinique s'il ne veut pas y aller. Tu connais ton père, Martine !

Nous nous sommes rendus au bureau de la police de Walt Disney, et maman a rapporté la disparition mystérieuse de grand-père. Les agents ont mis jusqu'à la noirceur pour mettre le grappin sur lui. Moi, je l'ai trouvée bien bonne. Grand-père nous avait joué un bon tour. Il s'était dirigé vers un petit lac et s'était payé la visite d'un bateau de carton-pâte qui devait ressembler au sien, lorsqu'il était officier de la marine marchande. Il était assis sur un petit banc et il fixait l'horizon. On aurait dit qu'il était un comédien qui faisait partie d'une pièce de théâtre. Quand je l'ai aperçu, je l'ai pris par la main. Il m'a reconnue, puis il m'a souri. Tu sais, madame, mon grand-père m'a suivie, mais il n'a jamais plus été pareil après cela. Moi, je ne trouvais pas qu'il avait raison d'être triste : on a le droit d'aimer les bateaux, surtout lorsqu'on a passé toute sa vie dedans. Mais ma mère ne l'a pas entendu de la même manière, tu sais.

Nous sommes revenus à Montréal dans un autre avion. Celui-là n'avait pas de sièges dans le milieu. Julien et moi, nous nous sommes disputés pour être assis sur le bord du hublot, mais c'est grand-père qui a gagné.

– Laissez grand-papa regarder dehors, a ordonné mon père.

Moi, je crois que papa ne voulait pas que grand-père lui fasse une autre vilaine blague et qu'il disparaisse dans la soute à bagages.

❦

Depuis Walt Disney, le docteur Ouellette vient souvent à la maison rendre visite à grand-père. Grand-mère est triste quand le docteur s'en va parce qu'à chaque fois, elle pleure. Je crois qu'elle a moins peur quand le médecin est auprès de son vieux mari. Et quand je vais chez eux, grand-père ne me fait plus du Jell-O aux fraises et ne dessine plus de figures avec des guimauves miniatures sur le dessus. Des fois, il m'appelle Martine mais moi, madame, je m'appelle Lau-ren-tine. Des fois, il ne reconnaît plus l'as de cœur quand il joue aux cartes avec nous. Il doit trouver le temps plus long parce qu'il ne vient plus ramasser les cassis dans le jardin, et il ne chante plus sa chanson préférée. Tu veux que je te la chante, madame ? Écoute :

Un cerf dans une grande maison
Regardait par la fenêtre
Un lapin vint en courant
Frapper à sa porte
« Cerf, cerf, ouvre-moi
Car le chasseur me tuera »
« Lapin, lapin, entre vite
Me serrer la main. »

Tu la connaissais, la chanson de grand-père, madame ? Ma mère aussi, elle la chantait quand elle était petite. Moi, je vais faire friser mes cheveux par la coiffeuse. Il faut que je sois jolie pour la fête donnée en l'honneur de grand-papa Edmond.

Hier matin, madame, maman est venue me réveiller. Elle avait les yeux très rouges. Elle m'a dit :

– Il faut aller à Saint-Polycarpe. À l'église, il y aura une cérémonie pour ton beau grand-papa d'amour.

Tu sais ce que c'est, toi, une cérémonie ? Elle dit qu'il s'est embarqué sur un bateau pour la vie éternelle. Elle m'a aussi expliqué que grand-père Edmond avait attrapé la maladie d'Alzheimer. Quand on attrape cette maladie-là, madame, il paraît qu'on retombe en enfance. C'est pour ça que grand-père aimait tremper ses pieds dans les flaques d'eau et qu'il mettait son gros doigt dans ma tasse de thé et aussi qu'il aimait le Jell-O aux fraises avec une figure sur le dessus fabriquée avec des guimauves. À l'église de Saint-Polycarpe, il y aura les amis de grand-père et toute sa famille pour lui dire au revoir.

La coiffeuse va friser mes cheveux. Et je vais mettre ma belle robe bleue avec un col Claudine. C'est moi qui irai déposer la rose blanche sur le lit de grand-père. Tu crois, madame, que je pourrai lui tirer les gros orteils ? Madame... madame, pourquoi tu pleures ?

Un malade dans ta soupe

François Barcelo

T U ES ASSIS à table, devant ton bol de soupe. C'est ta soupe préférée : celle avec des petites pâtes en forme de lettres. Même si le goût n'est pas super, c'est amusant de faire des mots avec les lettres. Mais c'est difficile. C'est pour ça que les adultes n'essaient jamais.

La première chose à faire, c'est chercher un mot parmi les lettres qui flottent dans la soupe. Mais ce n'est que le commencement.

Il faut ensuite mettre toutes les lettres à l'endroit, parce qu'il y en a toujours qui sont à l'envers.

Par exemple, tu viens de trouver un W qui a l'air d'un W. Mais tu vois bien que c'est un M, parce qu'il a les pattes moins écartées qu'un M la tête en bas.

Tu pourrais redresser ce W en faisant faire à ton assiette un demi-tour dans un sens ou dans l'autre, mais alors les lettres qui sont déjà à l'endroit se retrouveraient la tête en bas. Par exemple, il y a un A dont tu as besoin et qui a la pointe en haut et les pattes en bas. Si tu tournes ton assiette, tu vas avoir un M à l'endroit et un V à l'envers et tu n'auras rien gagné.

Ce W-là qui a l'air d'un W, il faut plutôt que tu le fasses tourner tout doucement avec le bout de ta cuiller. Et voilà : tu as un vrai beau M à l'endroit sans avoir mis ton A la tête en bas.

Il y a aussi les lettres qui sont inversées de gauche à droite. Comme le Ǝ, qui a ses trois bras tournés vers la gauche. Ça, c'est plus délicat. Du bout de la pointe de ta cuiller, tu arrives à le retourner sur lui-même et il devient un vrai E avec les bras tournés du bon côté.

Ton ⌐, lui, est couché sur le dos. Tu n'as qu'à lui faire faire un quart de tour à droite, et voilà un vrai L qui se tient debout comme il faut.

Heureusement, le D, comme le A, ne pose aucune difficulté. Il est déjà debout, avec son dos tout rond tourné vers la droite.

Tout va très bien. Tu as maintenant toutes les lettres nécessaires pour former le mot que tu as repéré dans ta soupe : MALADE. Tu as un M, un L, un D, un E et deux A.

Il ne te reste plus qu'à les mettre dans le bon ordre. Mais si tu les alignes dans la soupe, tu sais ce qui va se passer la prochaine fois que tu vas y plonger ta cuiller ou juste souffler dedans pour la refroidir : les lettres vont se mettre à naviguer tout de travers chacune de son côté, et ton mot sera perdu au fond du lac opaque qu'est la soupe aux lettres toutes mélangées.

Mais tu as de la chance. Ta mère t'a servi ta soupe dans une assiette creuse, pas dans un bol. Ce qu'il y a de bien avec l'assiette creuse, c'est que si tu fais monter une lettre sur le rebord, elle reste là et ne bouge plus. Quand elle te sert ta soupe dans un bol, c'est impossible de placer les lettres sur le rebord, parce qu'il n'y a pas de rebord. Les lettres retombent tout le temps dans la soupe, et tu perds un temps fou à essayer de les repêcher.

Tu sais aussi qu'il faut toujours commencer par la première lettre à gauche, comme quand on écrit pour vrai. C'est le M, ex-W à l'envers. Tu le pousses avec ta cuiller. Le voilà au bord du lac rond que forme la soupe. Tu pousses encore un tout petit peu et le voilà monté sur le rivage.

Le M est donc solidement installé à sa place.

C'est le tour du premier A, maintenant. Où est-il passé ? Il est là, à côté d'un R dont tu n'as rien à faire. Malheur de malheur ! Tu avais mal regardé : ce n'est pas un A, c'est un Λ à l'envers, sans barre au milieu.

C'est très embêtant, ça. Mais ce n'est pas bien grave. Tu vas prendre ton deuxième A tout de suite et en chercher un autre une fois que tu auras placé le L.

Le deuxième A, qui est devenu le premier A, accepte de se laisser pousser sur le bord de l'assiette. Tu le tournes un tout petit peu. M-A. Ça commence bien.

Le L, maintenant. Mais il n'a plus du tout l'air d'un L, ce ⌐-là. Il a le petit côté du mauvais côté, pointé vers la gauche. Il a dû se renverser pendant que tu déplaçais le A ou le M. Il faut que tu le retournes bien soigneusement parce qu'un L a nécessairement le petit côté tourné vers la droite.

Ça va épatamment ! D'ailleurs, tu as déjà un mot entier : MAL. Mais c'est trop facile, un petit mot de trois lettres. Et puis tu as décidé d'écrire MALADE, tu ne vas pas te contenter de MAL.

– Tu manges ou tu joues avec ta soupe ? demande ta mère.

Heureusement, le téléphone sonne à ce moment-là. Elle va répondre. C'est ta grand-mère, sa mère à elle. C'est facile à deviner : elle dit « Bonjour, maman. » Quand ta mère parle avec ta grand-mère, ça prend toujours plusieurs minutes. Ça va te donner tout le temps qu'il faut pour terminer ton mot si tu te dépêches un peu.

Tu pars donc à la chasse au deuxième A. Tu fais bien attention de ne pas trop agiter ta soupe. S'il fallait qu'une vague de liquide touche les lettres déjà placées sur le bord de l'assiette et les fasse glisser dans la soupe, tu devrais recommencer à zéro et tu risquerais de manquer de temps avant que ta mère revienne et insiste pour que tu manges ta soupe au lieu de jouer aux lettres.

Mais tu fais maintenant face à un problème abominable : tu as beau chercher jusqu'au fond avec ta cuiller, tu ne trouves pas le moindre A. C'est la catastrophe. L'autre jour, tu as fait un mot de cinq lettres : CHIEN. Aujourd'hui, tu ne peux pas te satisfaire d'un misérable mot de trois lettres. À moins de l'allonger avec une autre lettre que le A ? Un E, et ça fait MALE. C'est un vrai mot, ça, le contraire de FEMELLE, comme dans hamster mâle. Ça prend un petit chapeau sur le A, mais il n'y en a jamais dans la soupe aux lettres, alors tu as parfaitement le droit d'écrire MALE sans chapeau. Mais MALE, même sans chapeau, ça ne fait toujours que quatre lettres. C'est beaucoup moins que MALADE, et même moins long que CHIEN.

Qu'est-ce que tu peux faire d'autre ? Chercher un autre grand mot dans la soupe. Par exemple, tu viens de repérer CHTTE, et tu as déjà un A de placé. Mais il faudrait que tu enlèves deux des lettres qui sont sur le bord de l'assiette. Et que tu les remplaces par le C, le H et les deux TT. Ça va prendre un temps fou.

Tiens, qu'est-ce que tu aperçois dans l'assiette de ta mère ? Un beau A majuscule qui flotte en plein milieu de sa soupe. Est-ce que tu as le droit d'aller le chercher ? Oui, puisque c'est toi qui as inventé ce jeu-là. C'est toi l'arbitre et c'est toi qui fais le règlement. Alors, tu décides que les joueurs ont le droit d'aller chercher des lettres dans l'assiette du voisin, à condition que ça ne coupe pas son mot si le voisin joue lui aussi. Et ça tombe bien : ta mère ne joue jamais aux mots dans la soupe.

Hop ! Ta cuiller s'est emparée du A manquant et le dépose à droite du L sur le rivage de ton assiette. Encore deux lettres, et tu vas battre ton record. Et peut-être le record mondial des mots dans la soupe aux lettres, si tu es le seul à jouer dans le monde entier.

Le D est toujours là où il était et il se laisse traîner sans rouspéter à côté du A.

Attention ! Ta mère vient de raccrocher le téléphone. Elle va revenir à table bientôt. Il faut que tu te dépêches, sinon elle risque de t'enlever ton assiette sous prétexte que tu joues avec ta soupe au lieu de la manger.

Où est donc passé le E ? Il a disparu. Tu ne peux pas l'avoir mangé, puisque tu n'as rien mangé encore. Tu en avais un, pourtant, tout à l'heure. Le voilà enfin, le petit coquin : il s'est caché sous un O. Tu écartes le O, tu pousses le E vers le bord de l'assiette. Victoire ! M-A-L-A-D-E. Une, deux, trois, quatre, cinq, six lettres ! Ton record ! Et tu l'as eu juste à temps, parce que ta mère s'assoit devant toi. Tu plonges ta cuiller dans ta soupe sans faire de vagues et tu la portes à ta bouche. Tu n'as pas du tout envie que ta mère t'enlève ton assiette tout de suite et fasse disparaître si vite ton record. Tant que tu vas manger de la soupe, ton triomphe va rester là, sous tes yeux. Mais ta mère ne s'intéresse pas du tout à ce mot que tu as écrit dans ton assiette. Elle dit :

– Cet après-midi, je vais reconduire ta grand-mère à l'hôpital.

Tu manges encore trois grandes cuillerées de soupe, toujours en prenant bien soin de ne pas faire bouger ton M-A-L-A-D-E. Tu avales des tas de X, de J et de Y. Des lettres qui ne servent à rien, parce que tu ne trouves jamais de mots à faire avec elles. Pourquoi en mettent-ils dans la soupe à l'alphabet ? C'est facile : pour que les enfants aient quelque chose à manger en attendant de manger leurs mots.

Tout à coup, tu songes à une chose : ta grand-mère est malade. Depuis quand ? Depuis que tu as fait le mot MALADE sur le bord de ton assiette. Est-ce qu'il y a un rapport ? Chaque fois qu'un enfant écrit le mot MALADE avec de la soupe aux lettres, est-ce que ça rend sa grand-mère malade ?

C'est une idée ridicule. Tu t'en aperçois tout de suite. Par exemple, si tu faisais le mot GUERRE, est-ce que cela ferait éclater une guerre quelque part dans le monde ? Tu pourrais chercher les lettres nécessaires, juste pour voir. Mais non, tu ne vas pas prendre le risque de commencer une guerre, quand bien même il n'y aurait qu'une chance sur mille millions pour que ça arrive pour vrai.

Finalement, c'est la même chose pour ta grand-mère. Quand bien même il n'y aurait qu'une chance sur mille millions pour qu'elle soit tombée malade parce que tu as trouvé le mot MALADE dans ta soupe, tu ne peux pas prendre le risque de l'envoyer à l'hôpital. Tu regardes une dernière fois ton mot magnifiquement long de six superbes lettres glorieusement alignées sur le rebord de ton assiette. C'est abominable, mais tu sais que tu n'as pas le choix.

Avec ta cuiller, tu te dépêches de retourner dans la soupe le M, le L, le D, le E et les deux A.

Tu fais même exprès, avec ta cuiller, pour bien les mélanger. Voilà. À moins d'un miracle, tu ne les retrouveras plus. Et le mot MALADE ne ressortira jamais de ta soupe aux lettres.

Ton mot a disparu et ta grand-mère est malade. C'est assez pour te couper l'appétit. Tu repousses ton assiette en disant :

– J'ai fini.

Même s'il reste encore plusieurs cuillerées de soupe, ta mère va porter l'assiette à l'évier en disant :

– Tu sais ce que ta grand-mère va faire, à l'hôpital ?

Tout ce que tu sais, c'est qu'elle va se faire soigner parce que tu l'as rendue malade. Et il n'est pas sûr que tu l'aies guérie en défaisant ton mot. Tu secoues la tête tristement. Ta mère te donne la réponse à sa question :

– Elle va faire la lecture à des enfants malades. Je trouve que c'est une bonne idée.

Toi aussi, tu trouves que c'est une idée super.

Un instant plus tard, il y a une question qui t'entre dans la tête : est-ce que c'est à cause de toi et du mot dans ton assiette que ta grand-mère a eu cette idée-là ?

Tu ne peux pas en être sûr. Disons qu'il y a une chance sur mille millions.

Lettre à Alexia

Odette Bourdon

Paris, 4 mars 2002

Ma chère Alexia,

J E PRENDS la liberté de t'envoyer cette
lettre, car ta maman m'a appris que tu
étais immobilisée pour quelque temps à
la suite d'un accident de ski. Pauvre
Alexia ! Tu devines que j'aimerais être
auprès de toi pour t'encourager et te
gâter un peu. Malheureusement, le travail me retient à Paris. Je t'envoie
quelques bouquins pour tromper un peu
ton ennui et surtout pour te permettre de
t'évader. Comme je te le répète souvent,
il n'y a rien comme la lecture pour se réconforter. Quelqu'un qui aime lire n'est

jamais seul, ne s'ennuie jamais... Tu vois, je radote. Ce n'est pas la première fois que je te dis ça ! Mais c'est tellement vrai !

Comme tu le sais, quand j'étais jeune, j'ai subi une opération et me suis trouvée moi aussi immobilisée pendant plus de trois mois. Heureusement pour toi, ta convalescence sera beaucoup moins longue que la mienne.

Ce que je veux que tu saches aujourd'hui, ma chère nièce, c'est que cette situation, qui peut te sembler tragique aujourd'hui, deviendra peut-être demain un de tes plus riches souvenirs ! Tu apprendras beaucoup de cette expérience, autant sur toi que sur les autres.

Depuis ma naissance, je souffrais d'une scoliose, c'est-à-dire d'une déviation de la colonne vertébrale. Comme tu le sais, dans notre famille, nous sommes quelques-uns à souffrir de ce problème ; c'est génétique.

Ce que j'ai trouvé le plus difficile avant l'intervention chirurgicale, ce n'est pas le handicap lui-même, mais plutôt la réaction des gens autour de moi.

À la maison, je n'étais plus une petite fille, j'étais devenue un dos. Mes parents ne parlaient que de cela. J'étais un problème, pas une personne ! Et très souvent, c'est moi qui devais leur remonter le moral, car la situation les désespérait. J'étais une enfant différente des autres, et c'est comme s'ils se sentaient coupables envers moi.

Plus tard, à l'école, les classes se divisaient en deux clans : les sympathiques et les sans-cœur ! Les uns me protégeaient, me couvaient presque, tandis que les autres se moquaient de mon étrange démarche. C'est vrai que les enfants sont souvent cruels entre eux. Et je me demande toujours pourquoi. Est-ce pour cacher leurs propres faiblesses qu'ils dénigrent ceux et celles qui affichent une différence ?

Malgré cela, je te le jure : jamais je ne me suis sentie humiliée ou diminuée. J'étais différente, et fière d'être qui j'étais. Et je crois bien que mon handicap me rendait plus imaginative, plus futée que bien d'autres. Par exemple, pour une fête d'Halloween, j'ai porté une vraie robe de princesse que maman m'avait confectionnée selon mes désirs ; une longue traîne partait des épaules et cachait ainsi mon dos. J'inventais plein de trucs pour éviter les situations embarrassantes ou délicates. Jamais je n'ai succombé au désespoir. Je composais avec la situation, avec ma propre réalité. C'était une question de survie et d'orgueil personnel.

Et puis, arriva un jour merveilleux. Le jour où j'ai appris qu'un médecin allait m'opérer. Je jubilais ! Enfin, quelqu'un faisait quelque chose. Un spécialiste s'occupait de mon cas. Pendant des années, j'étais allée chez un chiropraticien, mais sans résultat.

L'opération dura plusieurs heures. Pendant cette chirurgie, le médecin installa une longue tige de métal dans mon dos. Incroyable, mais en quelques heures, j'avais grandi de huit centimètres. J'étais tellement contente. J'avais l'impression de devenir une nouvelle personne. Une « moi » améliorée !

Après deux semaines à l'hôpital, j'ai pu rentrer à la maison. J'étais enfermée dans un carcan de plâtre des épaules jusqu'aux hanches. J'ai dû rester au lit pendant plus de trois mois, allongée sur une planche de bois.

Je te jure que, même confinée à mon lit, je ne me suis jamais ennuyée. Et c'était avant Nintendo et Internet ! Je lisais énormément. Je dévorais autant les romans que les bandes dessinées ou les

livres sur la politique. Je regardais beaucoup la télévision. J'apprenais aussi par
cœur le nom et les détails de la carrière
des joueurs de hockey du club des
Canadiens. Je m'intéressais à tout, même
si j'étais vissée à mon lit. Je faisais quoti-
diennement des exercices physiques
adaptés à ma condition. Je soulevais des
poids avec mes pieds. Je faisais des
moulinets avec mes bras. Évidemment,
on me choyait beaucoup. Maman me
cuisinait mes petits plats préférés et papa
m'apportait souvent des surprises.
J'avoue que cela ne me déplaisait pas
du tout!

Mon amie Danielle venait à la maison tous les jours après l'école pour
m'apporter mes devoirs et mes leçons.
Aussi me tenait-elle au courant des
derniers potins, des amourettes de mes
compagnes, des cancans sur les en-
seignants. Même si je n'étais pas en
classe, je suivais mes cours à distance. Et
à la fin de l'année, j'ai pu faire mes examens avec les autres.

Les trois mois d'immobilité passés, je
me suis retrouvée avec un plâtre plus
court et, enfin, j'ai eu la permission de marcher. Quel vertige! Retrouver l'équilibre
n'était pas si facile. J'ai dû réapprendre à

mettre un pied devant l'autre. Mais si tu savais le plaisir de réapprendre, chaque pas devenant une victoire. J'ai retrouvé l'école et mes amis, j'ai réintégré la routine avec plaisir.

Puis un jour – au hasard d'une visite dans un centre de loisirs –, j'ai découvert le plaisir de jouer au tennis. À ce moment-là, ma vie a changé. Ce corps qui m'avait tant ralentie devenait mon allié. Je courais, mes jambes répondaient à mes commandes, mes bras prenaient de la force et, surtout, mon dos tenait bon. Même avec une tige de métal sous la peau, je pouvais rivaliser avec n'importe qui ! J'ai même gagné quelques championnats et, je te l'avoue, j'en suis encore très fière.

Tu vois, ma chère Alexia, j'aurai appris de cette épreuve à ne jamais baisser les bras. À ne jamais abandonner. À ne jamais désespérer. J'aurai découvert que se cachaient en moi des ressources insoupçonnées. J'aurai aussi appris à vivre jour après jour, autant les épreuves que les joies. Et surtout, j'aurai eu tout le temps d'apprendre à observer les gens. À les regarder. À les suivre des yeux. À essayer de les deviner. À les comprendre. À prévoir leurs comportements. À les analyser. À les piéger aussi.

Aujourd'hui, mon travail de détective m'emmène à Paris. C'est ce sens d'observation et cette patience acquis et développés lors de ma longue convalescence qui ont changé le cours de ma vie. Et probablement aussi, celui de plusieurs de mes clients et de ceux que je dois filer.

Prompt rétablissement, ma belle Alexia ! Prends courage… Et surtout profite de cette pause dans ta jeune vie. Il y a tant à faire… même clouée sur un lit !

Je t'embrasse bien tendrement,

Ta vieille tante Claudine.

Rien ne vaut un bon tuyau

Hélène Grégoire

LE HOQUET. Quel mal désagréable !
Lorsque ça dure quelques minutes,
on s'en aperçoit à peine et on oublie
rapidement. Mais parfois, une crise de
hoquet peut mettre plusieurs heures à
s'en aller. Et encore !

Jacquot le cuistot en sait quelque chose :
il se souviendra toute sa vie de la dernière
fois où ça l'a pris. Et chaque fois qu'il raconte l'histoire, tout le monde se tord de rire.

Le tout avait commencé avant le
souper du samedi. Mine de rien. Quelques innocents HIP ! HIP ! qui ne l'ont pas
empêché de manger. Mais la soirée a
passé, et le hoquet, lui, s'est accroché.

Lorsqu'il décida d'aller se coucher,
vers 22 heures, il en sursautait encore.

Et quelle nuit il a connue ! Allongé sur le dos, les yeux au plafond, le pauvre Jacquot se tenait l'abdomen à deux mains tout en comptant les secondes qui séparaient chacune de ses contractions.

Parfois, le répit était assez long pour que, plein d'espoir, il croie que la crise s'était calmée. Mais rien à faire : la maladie lui collait aux entrailles.

Au petit matin, non seulement il avait toujours le hoquet, mais en plus, il avait l'air d'un épouvantail. C'est normal puisque jamais de sa vie il n'avait connu une nuit aussi ÉPOUVANTABLE !

Compatissant, son père lui offrit son aide. Ce n'était pas trop tôt.

– Mon truc est infaillible, tu vas voir !

– Ah oui ? Et… HIP ! C'est quoi ton truc ?

– Attends quelques minutes : je ne suis pas encore tout à fait prêt. Je dois d'abord vérifier deux ou trois petites choses…

Il parlait à voix très basse, faisant mine de s'affairer à autre chose ; il semblait, en fait, très peu désireux de s'occuper de Jacquot. Et PAF ! D'un seul coup, il se retourna et lui sauta dessus en criant très fort :

– BOUHOUHOU !

Sur le coup, Jacquot faillit avoir une crise cardiaque. Stupéfait, il riposta :

– Qu'est-ce qui te prend ?

– Une grosse frayeur : rien de tel pour guérir le hoquet ! Surtout quand tu ne t'y attends pas ! Ça marche à tout coup, et…

– Hip !

– Qu'est-ce que tu dis ?

– Je dis Hip ! Tu veux que je le répète ? Hip ! Comme tu vois, il ne fonctionne pas du tout, ton super Hip ! remède !

Le père de Jacquot, piteux, l'abandonna à son sort en lui souhaitant bon courage. Déprimé, Jacquot allait devoir essayer autre chose. Par chance, il était entouré de personnes pleines de ressources.

Ainsi, son petit frère Vincent lui expliqua qu'en buvant de l'eau dans un verre… à l'envers, il guérirait instantanément. Bien entendu, Jacquot s'empressa d'essayer et, après l'essai, il dut, tout mouillé, courir changer de vêtements ! Pour sa part, sa petite amie Sara lui proposa de compter jusqu'à ce que le hoquet lui fiche la paix. Une heure plus tard, Jacquot était tout embrouillé dans ses mille et quelque chose, et il souffrait d'une horrible migraine. Et bien sûr, il hoquetait de plus belle !

Même la mère de sa copine s'en mêla : selon elle, Jacquot devait cesser de respirer. Et comme elle insistait, Jacquot s'est fâché.

– Vous voulez me faire mourir ? Pour pouvoir raconter à toutes vos amies que j'ai succombé HIP ! à un arrêt respiratoire ? Très peu pour moi ! HIP !

La pauvre belle-mère voulut s'en défendre, jurant être pleine de bonnes intentions. Rien n'y fit. Jacquot conclut la discussion de quelques HIP ! bien sentis.

Dans l'après-midi, Pierrot, un ami de Jacquot, lui proposa une sortie au cinéma.

– Rien de tel que de se changer les idées. Je parie que ce vilain hoquet va partir sans même que tu t'en rendes compte.

Bien entendu, Pierrot se trompait royalement. Non seulement le spectacle, la musique et l'action ne purent guérir Jacquot, mais ils ne suffirent pas à couvrir le bruit de tous les HIP ! HIP ! de notre cuistot. Ainsi, intimidé par les regards étonnés des autres cinéphiles, il quitta la salle après seulement vingt minutes, emportant son hoquet avec lui.

Le soir tombé, Jacquot se mit au lit, et comprit que son problème prenait des proportions alarmantes. Les spasmes le suivirent jusque dans son sommeil. Il se mit à rêver qu'il arpentait la campagne en trottinant à dos de cheval, sautant de temps à autre par-dessus son père, sa belle-mère, Vincent, Sara et Pierrot. Hip! Hip!

Le lundi, l'angoisse s'empara de notre ami. Comment réussirait-il à décorer ses gâteaux alors qu'il passait son temps à rebondir comme un ballon ? Et tous ces légumes à couper ! Ses doigts y passeraient, c'est sûr. Il décida donc, au lieu d'aller travailler, de se rendre à l'urgence de l'hôpital avec l'idée d'en finir avec ce mal sournois et épuisant. « Aux grands maux, les grands remèdes », dit-on.

À l'accueil, une infirmière l'informa qu'il devrait attendre, son cas n'étant vraiment pas urgent. C'est ainsi que, assis sur une chaise inconfortable, il assista en sautillant au défilé des victimes de « vraies maladies » : otites, grippes, maux de ventre, coupures, fêlures, allergies... Quel ennui !

Jacquot croyait avoir fait le tour des petits bobos lorsque arriva un homme présentant des malformations inquiétantes. Allongé sur une civière, il était recouvert d'une épaisse couverture. Une petite dame désemparée l'accompagnait, ainsi que deux brancardiers qui retenaient, visiblement, une folle envie de rire.

Curieux, Jacquot tendit l'oreille.

– De quoi souffrez-vous ? demanda l'infirmière au patient déformé.

– Il a eu un accident… s'empressa de répondre sa femme.

– … avec un pot de colle ! continua l'ambulancier.

Mais l'« accidenté » voulut se défendre lui-même.

– Ce n'est pas ma faute ! J'ai ouvert le tube de colle contact, et il s'est mis à fuir de partout. Alors j'ai voulu rincer à l'eau, et je suis resté les deux mains collées sur le robinet.

– Nous avons donc appelé le plombier, poursuivit son épouse. Mais il n'a rien pu faire pour le libérer. Figurez-vous que, pour dégager les robinets, il aurait fallu casser le lavabo en morceaux, mais mon mari n'a pas voulu ! Alors le plombier l'a démonté, avec les tuyaux et tout… et nous voici ! Je me demande maintenant combien tout cela va nous coûter…

Tout en parlant, la dame s'empara de la couverture et dévoila ce qui se trouvait dessous : un homme allongé avec, sur le ventre, un évier de porcelaine, ses robinets et toute sa tuyauterie ! Le tableau était d'un si grand comique que l'infirmière, les yeux ronds de surprise, éclata de rire.

Les deux ambulanciers n'attendaient que ce signal pour s'y mettre à leur tour. Ce qui entraîna Jacquot, soudain pris d'un tel fou rire qu'il ne tenait plus sur sa chaise. Alors il se leva en se tenant le ventre d'une main, et en s'essuyant les yeux de l'autre.

Et le miracle tant attendu arriva : le hoquet avait disparu. Jacquot n'en croyait pas ses... côtes : il était guéri !

Alors, le plus naturellement du monde, il prit un billet de vingt dollars dans son portefeuille et, le cœur rempli de reconnaissance, s'avança vers le pauvre monsieur aux mains pleines de robinets.

– Le moins que je puisse faire pour vous, c'est vous aider à payer votre plombier !

Il glissa le billet sous le tuyau de renvoi et retourna à ses chaudrons.

Et depuis ce jour, lorsqu'on veut applaudir un bon coup, on crie :

– Hip ! Hip ! Hourra !

Atchoum !

Diane Groulx

– **A**H NON ! peste-t-il. Je sens que je vais encore éternuer.

C'est comme si quelqu'un tenait une plume entre ses doigts et le chatouillait sous les narines. Cette sensation le rend dingue.

– Je vais essayer de me retenir. Je dois me retenir !

Il fait une courte pause, demeure en alerte, puis s'écrie :

– Aaah ! Je n'en peux plus ! Ça s'en vient…

Il s'évente pour éviter le drame qui se produira s'il éternue.

– Aa… Aa… Aaaaatchoum !

Une bouffée de chaleur lui vient au visage.

– Zut! Vite, ça brûle! De l'eau! Il me faut de l'eau et ça presse!

Il court à la cuisine et remplit un pichet d'eau. Il retourne au salon au triple galop et le boit d'un coup sec.

– Ouf! Je l'ai échappé belle.

Il s'éponge le front, visiblement soulagé. Après tant d'émotions, il n'a qu'une idée en tête : se recoucher. Il se dirige vers le divan en courbant le dos, complètement fourbu. Il s'allonge, se recouvre d'un chaud duvet et se cale sur deux oreillers douillets.

– Aah! râle-t-il, souffrant.

Pourtant l'appartement est vide. Personne ne peut l'entendre se plaindre, mais ça ne l'arrête pas.

– Quelle vilaine grippe! Je suis tout courbaturé, j'ai un mal de bloc dont je n'arrive pas à me débarrasser depuis ce matin et mon nez est bouché. Qui donc m'a refilé ce microbe? J'ai pourtant bien pris soin de moi. Je suis toujours sorti vêtu de ma redingote et de mon grand chapeau. Et ma mère qui me disait de ne pas venir m'installer ici… J'aurais dû l'écouter. Cette température ne me convient pas du tout. Je ne suis pas fait pour affronter les automnes rigoureux de ce rude pays, réfléchit-il tout haut.

Une violente quinte de toux le surprend. Il porte poliment la main à sa bouche.

— Ouille ! mes doigts ! Ça brûle ! se lamente-t-il.

Il les secoue vivement pour chasser la douleur.

— Ce n'est pas pratique pour quelqu'un comme moi d'être ainsi malade.

Catastrophe ! Plus de mouchoirs de papier maintenant ! constate-t-il en tendant le bras vers la boîte vide. Il la secoue tout de même énergiquement dans l'espoir de voir des mouchoirs apparaître. Il doit sortir en chercher, et cette perspective ne lui dit rien qui vaille.

— Qui pourrait me dépanner ? Ah, je sais !

Il attrape le combiné et compose le numéro de téléphone de sa meilleure amie, Béatrice.

DRING ! DRING ! DRING !

— Oui, allô, répond une voix enrouée à l'autre bout du fil.

— Béa, c'est bien toi ? demande-t-il, incertain.

— Oui, Dabien. C'est boi. Je suis enrhubée, explique-t-elle.

« Ah ! Ah ! Voilà donc la coupable ! pense-t-il. C'est elle qui m'a contaminé. »

Comment lui en vouloir ? Elle a l'air plus mal en point que lui. Damien fronce les sourcils, contrarié. Si elle est malade aussi, elle ne pourra pas aller au magasin à sa place. Il ne lui parle pas longtemps, car il doit trouver une solution à son problème. Il lui souhaite un prompt rétablissement et raccroche.

Damien regarde par la fenêtre. Il fait un temps à ne pas mettre un chien dehors. Il peut donc sortir. Mais il n'en a nullement envie. Son souffle est torride. Il ne s'en inquiète pas outre mesure, car il en est toujours ainsi. Mais son front est tellement brûlant qu'il pourrait y faire cuire un œuf. La fièvre l'a gagné. C'est bien ce qu'il craignait, son mal empire. L'heure est grave. Le temps presse s'il veut prévenir un désastre épouvantable. Il doit à tout prix quitter son appartement s'il ne veut pas y mettre le feu !

À contrecœur, il revêt son manteau, enroule une écharpe autour de son cou et rabat le bord de son grand chapeau. Il referme doucement la porte et descend les marches une à une pour atteindre le rez-de-chaussée.

Ses pas lourds résonnent dans la cage de l'escalier, ce qui lui donne encore plus mal à la tête. Il ralentit un peu et es-

saie de se faire aussi discret qu'une souris. Peine perdue, ça ne fonctionne pas,
et pour cause : il pèse autant que trois
mille de ces petits mammifères !

À l'extérieur, le froid mordant l'agresse.
Aussitôt, un filet de buée s'échappe de ses
narines.

– Brrr ! Il fait un froid de canard !

Pas de chance ! Il emprunte la route
en grelottant. Il n'a qu'une idée en tête :
aller demander l'aide d'Églantine, une
vieille excentrique respectée de toute la
communauté. Le chemin qui va jusque
chez elle lui semble interminable. Enfin,
il distingue son joli petit cottage recouvert de lattes d'aluminium.

Toc ! Toc ! Toc !

– Entrez, dit une voix chevrotante.

Il ouvre doucement la porte qui
grince sur ses gonds. Églantine est allongée sur son lit, terrassée par une
bronchite-otite-laryngite et toutes les
autres « ites » qui s'attaquent aux sys-
tèmes immunitaires affaiblis. Elle le
scrute de ses petits yeux noirs.

– Je vois que tu n'as pas meilleure figure que moi, remarque la vieille femme
avec compassion.

Damien se tient à une distance res-
pectueuse de peur d'aggraver son propre

cas. Il s'esquive poliment au bout de quelques minutes en prétextant un important rendez-vous chez… l'herboriste. L'idée lui est venue tout naturellement. Il emprunte quelques mouchoirs et continue son chemin.

Il traverse l'avenue et, ses réflexes au ralenti, il évite de justesse une voiture qui file à vive allure. Les épaules voûtées, les yeux rivés au sol, c'est en proie au découragement le plus total qu'il poursuit sa route. Puis l'inévitable se produit…

– Aaaaa ! Aaaaa !

Il se bouche les narines en souhaitant ainsi freiner les éternuements. Affolé, il regarde à gauche, puis à droite. Il aperçoit enfin quelque chose qui peut l'aider à éviter le pire : la fontaine du parc. Il se précipite vers elle à l'instant où retentit un formidable ATCHOUM !

Son éternuement provoque des vaguelettes à la surface de l'eau. En ouvrant les yeux (car tout le monde sait que les yeux se ferment tout seuls lorsqu'on éternue), il constate que le visage de la statue au centre de la fontaine s'est noirci par sa faute. Gêné, il détourne le regard, relève le col de son paletot et hâte le pas. Un piéton qui a tout vu lui jette un regard rempli de reproches.

Damien arrive enfin devant la boutique de l'herboriste.

– Bonjour ! prononce-t-il timidement en franchissant l'entrée.

– Ne dites pas un mot de plus ! Venez plutôt par ici.

Très perspicace, ou motivée par la prudence, l'herboriste l'entraîne à l'écart pour protéger sa boutique et balance un bidon devant ses yeux.

– J'ai exactement ce qu'il vous faut. Vous devez avaler cette décoction d'un seul coup. Ça vous fera le plus grand bien.

– Qu'est-ce que c'est ?

– Une infusion de fleurs d'eucalyptus, de salsepareille et de sapin baumier.

– Et je guérirai ?

Elle hésite avant de répondre, car elle craint sa réaction. Elle prend son courage à deux mains et lui avoue :

– Pas tout à fait, mais ça devrait atténuer votre caractère plutôt… enflammé. Après, il faudra vous reposer et boire beaucoup de liquide. D'ici quelques jours, ce sera une histoire ancienne.

L'herboriste lui indique la voie à suivre et le fait sortir par l'arrière-boutique. Damien retourne à son logis, l'énorme récipient sous le bras. Les passants qu'il croise le dévisagent, intrigués. Ils sont plus nombreux à cette heure-ci, et Damien se désole, lui qui déteste attirer l'attention sur sa personne. Il préfère toujours sortir à la nuit tombée.

De retour à son appartement, il se déleste de son manteau, accroche son chapeau sur la patère et se rend à la cuisine. Sans hésiter, il ouvre l'immense flacon, le soulève du bout des bras et…

— Pouah !

L'odeur est très désagréable, insupportable même. Elle lui irrite les narines.

— Qu'est-ce que l'herboriste a bien pu mettre d'autre dans cette potion ? Elle ne m'a certainement pas tout dit ! Ça sent affreusement mauvais, je ne pourrai jamais boire ça ! Ça me lève le cœur !

Une grande tristesse l'envahit, et les larmes lui montent aux yeux. Et soudain…

— Non, pas encore ! Aaaa… Aaaaa…

Il n'a plus le choix, il avale le contenu tel que recommandé, tout en grimaçant. Il demeure aux aguets, incertain de l'efficacité de cette douteuse mixture. Il reste figé un long moment, puis ose un pas en avant. Il ne se passe rien. Confiant, il se rend au salon. Il s'apprête à écouter un bon film à la télé, mais se sent tout à coup très las. Il s'étire en grognant.

Il s'allonge sur son lit en tirant les couvertures sous son menton. Il ferme les yeux et attend que le sommeil vienne. Il ne devrait pas tarder.

– Brrr ! frissonne-t-il juste avant de sombrer dans les bras de Morphée.

Il tend la patte vers sa grosse queue recouverte d'écailles et la ramène sous la couverture. Il se gratte le dessus du museau avec la longue griffe de son index et se frotte le dos contre le matelas pour replacer ses ailes de chaque côté. À l'aise et au chaud, il s'endort et se met aussitôt à ronfler.

Aujourd'hui Damien a évité tout un désastre. En effet, ce n'est pas pratique pour un dragon cracheur de feu d'avoir la grippe. Dès demain, c'est décidé, il retourne chez sa mère dans les Antilles !

La mort sonnera deux fois

Ann Lamontagne

EMMANUEL sortit en trombe de la maison, ce que ses dix ans lui permettaient encore de faire sans compromettre sa dignité. Et l'affaire était d'importance. C'était le premier jour de vacances, de la liberté, *Yes Man!*, dont la fin éventuelle, à l'orée de septembre, était si loin qu'elle se perdait dans un brouillard indistinct. Il enfourcha sa bicyclette comme il l'aurait fait d'un balai de sorcier, ignorant la toile bleue du ciel, les premiers pissenlits échevelés et les piaillements des oiseaux qui se crêpaient le chignon pour une graine de tournesol. Ses sens s'imprégnaient de ces détails, mais il ne le savait pas. Il ne le saurait que longtemps, très longtemps après.

Il roula à toute vitesse dans la rue des Gélinottes, croisa celles de la Perdrix, du Tétras et du Lagopède sans faire ses arrêts obligatoires, mais arriva néanmoins intact dans la partie du quartier dévolue aux végétaux. C'était là qu'habitait Antonin, rue de la Pruche, à deux coins de rue de celle des Mélèzes, où vivaient Olivier et Kevin. Ils étaient tous les quatre dans la même classe depuis la maternelle, ce qui, au fil des ans et des affinités, en avait fait un quatuor inséparable.

Plus tôt ce matin-là, Emmanuel avait rempli son sac à dos du matériel indispensable à une journée complète d'autonomie : son couteau suisse, son baladeur numérique, sa gourde berbère – remplie de lait au chocolat –, ses cartes de jeu et un copieux sandwich de son invention. Aujourd'hui et pour les mois à venir, il était maître de son destin.

À exactement douze tours de roue de la maison d'Antonin, il regardait toujours avec espoir en direction d'un duplex en brique. Au second étage, quand il avait de la chance, il apercevait une fille, qui avait à peu près son âge, assise en haut des marches. Une fois, sa mère l'avait appelée et il avait saisi son prénom au vol : Mélinda. Maintenant, il le murmurait chaque fois qu'il passait, à la manière d'une incantation.

Comme si un mystérieux signal l'avait précédé, dès qu'Emmanuel fut en vue, Antonin d'abord, puis Olivier et Kevin à sa suite, sortirent de chez eux, grimpèrent sur leur vélo et tous les quatre s'engagèrent à la file indienne sur le boulevard des Ormes. Jamais artère n'avait aussi peu mérité son nom. L'ormière, où vivait autrefois une communauté de grands ormes d'Amérique, avait été remplacée avant la naissance des garçons par de vastes terrains industriels qu'on avait ensuite semés d'élévateurs, de grues et de pelles mécaniques.

Il y avait toujours beaucoup de circulation sur le boulevard des Ormes sans ormes. Ce n'était que tout récemment qu'Emmanuel avait arraché de haute lutte la permission d'y circuler, après une litanie de mises en garde aussi longues que le boulevard lui-même. Emmanuel avait parfois l'impression que ses parents considéraient le monde extérieur comme un gigantesque guet-apens conçu dans l'unique but d'estropier leurs enfants.

Les garçons tournèrent en direction du fleuve pour longer la vieille route.

L'idée, c'était de repérer un chalet encore inoccupé à cette date d'où ils pourraient accéder au bord de l'eau sans se faire manger par un chien ou crier des bêtises par un propriétaire bilieux.

Après avoir dépassé une série de maisons neuves, visiblement habitées et bien protégées de la route par des clôtures et des massifs d'arbres, ils aperçurent un lieu qui semblait convenir à leurs desseins. L'immense propriété était gardée par une ligne de cèdres percée en son milieu par un chemin d'accès. La chaîne rouillée qui en barrait le passage semblait vieille comme la terre. Aucun avertissement supplémentaire ne venait décourager les initiatives ; les garçons décidèrent que l'endroit était juste assez interdit pour tenter l'intrusion.

Dès qu'il se fut glissé sous la chaîne, Emmanuel sentit un mélange d'excitation et de crainte lui remuer l'estomac. Les arbres étaient si nombreux et leurs fûts si hauts que leurs cimes formaient un ciel végétal à travers lequel passaient tout de même quelques rayons têtus. Tout autour, des générations de feuilles mortes et de branches cassées se perdaient dans une ombre humide. Emmanuel eut l'impression de pénétrer dans une forêt oubliée des hommes. Il avait beau plisser les yeux pour apercevoir les maisons voisines aux limites du terrain, un fouillis d'aubépines et d'aulnes faisait écran.

Devant lui, le sentier serpentait jusqu'à une bicoque de bois campée à proximité du fleuve. Les garçons avancèrent en silence, avec précaution, n'osant pas s'écarter du sentier. Arrivé tout près du chalet, Kevin tenta une manœuvre pour regarder à l'intérieur. Antonin le rappela à l'ordre sans ménagement. L'objectif de l'expédition n'était pas d'espionner les gens, juste d'atteindre la grève où des projets encore vagues de baignade et de pique-nique avaient été lancés, histoire d'inaugurer les vacances.

Les garçons avaient enfilé leur maillot sous leur jean dans le plus grand des secrets, car le fleuve était frappé d'au moins trois interdictions majeures. La première concernait une vieille histoire de famille que la mère d'Emmanuel racontait inlassablement dans les *partys* quand elle avait bu quelques verres. Il y avait très longtemps, à l'époque où ses grands-parents avaient un chalet à Saint-Joseph-de-la-Rive, un de ses cousins avait été emporté par une pneumonie. Il avait commis l'imprudence de se baigner dans le fleuve quelques jours avant la Saint-Jean-Baptiste, date à partir de laquelle la température de l'eau devenait mystérieusement supportable pour le corps humain. La seconde interdiction, nettement plus contemporaine, avait trait à la pollution du Saint-Laurent, cet affreux bouillon de microbes. Et pour finir et clore le dossier, se baigner sans la présence d'un adulte était pure hérésie. Autant d'interdits ne pouvaient que cacher quelque chose d'extrêmement excitant.

Les quatre garçons continuèrent à avancer d'un même pas jusqu'à la pointe herbue devant le chalet. Ils découvrirent alors un spectacle qui resterait à jamais gravé dans leur cœur aussi longtemps qu'ils en auraient un. La marée basse laissait voir la ligne grise du fleuve au loin et, devant elle, un vaste troupeau de roches éparses paissant comme des dinosaures parmi les herbes hautes.

De chaque côté du petit promontoire où ils se tenaient, la marée avait déposé deux bandes de sable d'un or très pâle. Celle de gauche était assez petite, mais celle de droite bordait une crique profonde ombragée par le plus vieux saule qu'ils aient jamais vu de leur vie. À l'extrémité de l'anse, à demi enchâssée dans le sable, une chaloupe croupissante leur indiquait que les lieux n'étaient plus fréquentés depuis longtemps. Ça ne pouvait être que le destin qui les avait conduits dans l'endroit le plus génial de toutes les terres habitées et inhabitées de l'univers.

Cela n'augurait plus une simple journée de paresse au bord de l'eau. Il y avait ici tout ce qu'il fallait pour remplir les vacances entières. Sans conciliabule ni palabres, les garçons décidèrent à l'unanimité que ce lieu secret serait destiné à leur usage personnel. Antonin se mit à faire l'inventaire du bois échoué qui leur servirait pour les feux de camp, une autre activité qui devrait rester clandestine. Olivier s'aventura sous le couvert des arbres pour jauger l'étendue de leur nouveau domaine, et Kevin entreprit de dégager l'embarcation avec ses mains et ses pieds. Emmanuel regardait le large, simplement heureux de découvrir le monde et de le découvrir si parfait.

L'heure de déballer les sandwichs arrivée, les garçons s'affalèrent sur la grève, torse nu, pas tout à fait convaincus de la chance incroyable qui les avait conduits au paradis. Les doigts pleins de sable, ils dévorèrent leur lunch en discutant des mérites respectifs d'une séance de natation versus une expédition en chaloupe. Ils paressèrent ensuite sous l'énorme saule dont les branches semblaient s'étendre à l'infini en attendant que la marée atteigne la plage. Ils eurent amplement le temps de prendre une décision. Ils allaient tester la chaloupe en se dirigeant à bord jusqu'à une roche en forme d'enclume qui leur semblait de la taille idéale, et ils chercheraient une aspérité pour l'amarrer. Ensuite, ils pourraient se baigner tant qu'ils le voudraient.

Quand l'eau fut suffisamment proche de la rive pour y pousser la chaloupe, Kevin donna le signal de départ. Il était le plus grand du groupe et le meilleur nageur. C'était sur la foi de son inspection qu'Emmanuel, Antonin et Olivier, à moitié rassurés, consentirent à s'embarquer. Tous les trois savaient nager, mais ils n'avaient jamais connu que les piscines du voisinage, guère plus que des bains d'oiseaux comparés à cette vaste étendue d'eau mouvante.

Heureusement, elle était étale, et apparemment sans menaces. Kevin prit naturellement les commandes, Emmanuel et Antonin s'occupèrent des rames et Olivier, de l'écope, une vieille boîte de soupe rouillée qui lui servait à rejeter l'eau hors de la chaloupe. Sous eux, les eaux devenaient de plus en plus profondes. La roche, à demi immergée lorsqu'ils avaient quitté la rive, ne laissait plus voir qu'une tête grise et plate. Y aborder ne fut pas une mince affaire. Il n'y avait aucune prise pour maintenir la chaloupe contre la roche, et Kevin et Antonin durent sauter à l'eau pendant qu'Emmanuel et Olivier grimpaient sur leur île de fortune. Puis, tous les quatre hissèrent la chaloupe dessus et s'appuyèrent contre ses flancs.

Les garçons se sentaient investis d'une nouvelle puissance. Lorsque les battements de leur cœur se furent calmés, qu'il ne leur resta plus qu'à jouir du moment, ils plongèrent en dessinant des cercles autour de leur base. Cette eau vivante, soulevée de temps à autre par les vagues d'un bateau, la roche elle-même qui était à la fois leur terre ferme et leur plongeoir, les conduisirent, sans qu'ils s'en aperçoivent, au milieu de l'après-midi et aux limites de leurs forces.

Quand ils s'avisèrent qu'il était temps de retourner sur la plage, la marée haute avait pratiquement englouti la roche sur laquelle la chaloupe en déséquilibre menaçait de dérive. Ils réussirent finalement à s'y installer et mirent le cap sur l'anse.

Mais en dépit de leur bonne volonté, Emmanuel et Antonin n'arrivaient pas à se délester de la fatigue qui pesait sur leurs épaules, et la rive semblait s'éloigner d'eux plutôt que s'en approcher. Pour ajouter à leur inquiétude, Olivier ne réussissait pas à écoper toute l'eau qui s'infiltrait. Ils se mirent réellement à avoir peur quand Kevin commença à s'énerver. Aussi loin que portait leur regard, il n'y avait pas âme qui vive pour leur prêter secours, et la chaloupe s'enfonçait de plus en plus.

Kevin décida alors de sauter hors de l'embarcation dans l'espoir de l'alléger suffisamment pour qu'elle atteigne la rive. Mais accroché à la rambarde, il devint vite évident qu'il gênait les garçons qui avaient déjà de la difficulté à ramer. Voyant que le désespoir gagnait l'équipage, il suggéra une solution de dernier recours. Tout le monde quitterait la chaloupe, et ils la renverseraient pour s'y accrocher et se maintenir hors de l'eau. Peut-être quelqu'un les apercevrait-il. Sinon, la marée, qui finirait bien par redescendre, découvrirait une roche sur laquelle ils pourraient se reposer.

Personne n'y croyait, mais aucun des garçons n'avait de solution de rechange à proposer. Antonin fut le premier à sauter, suivi par Emmanuel. Olivier attendit encore quelques minutes jusqu'à ce qu'il s'aperçoive que s'ils ne retournaient pas la chaloupe maintenant, elle coulerait en emportant avec elle leur seule planche de salut. Ils se placèrent tous du même côté et employèrent leurs dernières forces à soulever la barque pour qu'elle se retourne en se vidant de son eau. Quand l'opération fut achevée, Emmanuel avait disparu.

Pendant la manœuvre, il avait brusquement perdu contact avec la chaloupe et s'était mis à s'enfoncer sans pouvoir rien faire pour remonter à la surface. L'eau était trouble, ses poumons le brûlaient, et les battements frénétiques de ses jambes et de ses bras ne servaient à rien d'autre qu'à l'affoler davantage. Incapable de retenir plus longtemps l'air de ses poumons, il ouvrit la bouche, conscient qu'il abandonnait sa dernière chance de remonter à l'air libre. Il s'emplirait d'eau comme une bouteille sans bouchon et coulerait à pic jusqu'au fond. Il s'attendait à revoir le film de sa courte vie, comme le prétendait la rumeur. Mais non. Il se vit étendu dans une chambre toute blanche, l'air y était tiède, et bien qu'il respirât avec difficulté, il respirait ! Deux femmes, l'une très âgée, qui pouvait être sa grand-mère, l'autre plus vieille que lui de cinq bonnes années, qui pouvait être sa sœur, parlaient à voix basse comme s'il n'était pas là.

– Va-t-il reprendre connaissance, grand-maman ?

– Il est très faible, tu sais. Ça fait des semaines qu'il est dans le coma. Je crois qu'on devrait le laisser partir.

– Ce n'est pas nous qui décidons, voyons !

– Non, bien entendu. Mais on peut lui dire qu'on est d'accord, ça pourrait l'aider.

– Non, non, pas encore, pas maintenant, s'il te plaît !

Puis Emmanuel glissa dans l'obscurité de l'inconscience.

Une foule de têtes ahuries, sembla-
bles à une gerbe de ballons, s'agitait autour
de son corps. Ses trois amis claquaient
des dents en dépit des grosses couvertures de laine dont on les avait envelop-
pés. Alertés par un riverain témoin de la
situation précaire des enfants, les pro-
priétaires d'un petit yacht s'étaient
portés à leur secours ; l'homme avait
plongé à quelques reprises et réussi à ar-
racher Emmanuel au fleuve.

Pendant qu'il se débattait entre la vie
et la mort à l'hôpital, Kevin, Antonin et
Olivier avaient été sommés de s'expli-
quer et condamnés à purger leur peine
chacun chez soi. Aucun d'eux cependant
n'avait consenti à révéler le point de départ de leur expédition. Même s'ils n'y
retournaient jamais, et rien n'était moins
sûr, cet endroit était leur secret.

Le mois de juillet s'écoula entre soleil
et pluie, chacun chez soi, à imaginer quel
été génial ça aurait été si au moins...
Kevin ne se pardonnait pas d'avoir
déterré la chaloupe, Antonin de n'avoir
pas ramé avec plus de vigueur, et Olivier
était convaincu que s'il avait écopé plus
vite, rien de tout ça ne serait arrivé. Août
commença dans une chaleur presque insupportable.

Dans la chambre blanche et tiède, Emmanuel gardait les yeux fermés. La vieille femme, dont il avait ressenti la présence le jour où il avait coulé dans le fleuve, était de retour. Il sentait ses mouvements en suivant le parfum de muguet qui allait et venait avec elle dans la pièce. De temps à autre, elle s'assoyait tout près du lit et lui prenait la main. Sa main était parcheminée, forte et réconfortante. Il avait l'impression qu'elle lui transfusait un peu de sa vie. Quand l'air se déplaçait plus rapidement tout autour, accompagné d'une délicieuse odeur de pomme, c'était à coup sûr parce que la jeune fille qui l'accompagnait la première fois était là aussi.

Mais ce jour-là, avant même que l'une ou l'autre de ses visiteuses ouvre la bouche, Emmanuel sut que quelque chose se préparait. L'air n'avait pas la même densité et une trace de peur se mêlait aux parfums de muguet et de pomme. Des bruits inhabituels qu'il ne pouvait identifier égratignaient le silence.

– C'est le moment, je crois.

– Je le pense aussi ; les battements de son cœur ralentissent.

Emmanuel s'attendait à ce que ce fût la jeune fille qui s'adresse à lui, mais ce fut la vieille femme qui s'approcha pour lui murmurer à l'oreille des paroles si étranges qu'il n'arrivait pas à en discerner le sens.

Cette fois, la rumeur n'avait pas menti. C'était le film de sa vie qui passait dans sa tête en accéléré. Le babil de sa sœur près de son berceau, les premiers Noëls, le camion rouge tant convoité, la main de son père au milieu de la foule, celle de sa mère sur son front un jour de grosse fièvre. Il revoyait le ciel bleu du premier jour de vacances, les pissenlits échevelés, il entendait les oiseaux se disputer. Il se voyait dévalant la rue des Gélinottes, ivre de vitesse et de liberté, puis avançant sur le sentier sinueux en retenant son souffle pour découvrir le fleuve au loin, gardé par un troupeau de dinosaures de pierre, le fleuve sous lui, profond et apaisant, puis le fleuve tout autour qui cherchait à le happer.

Entraîné par le tourbillon des images, il se surprit ensuite en train de cuire une saucisse au-dessus d'un feu de camp, là où, en principe, il n'avait jamais remis les pieds. Il se vit installer des feux d'artifice en direction du large, en compagnie d'Antonin, d'Olivier et de Kevin. Puis jouer de la guitare sur cette même grève et contempler la bouche toute fraîche de Mélinda une seconde avant son premier baiser. Lui aurait-on par hasard accordé un supplément de souvenirs pour rendre sa mort plus douce ?

Dans la chambre que la jeune fille avait éclairée de bougies, la famille commençait à se rassembler pour le dernier au revoir. La poitrine d'Emmanuel se soulevait de façon erratique, il avait de plus en plus de mal à respirer.

– Il a l'air de souffrir, grand-maman.

– Son corps se défend, c'est normal, mais c'est presque fini déjà.

❧

Une quinzaine de minutes plus tard, deux infirmiers arrivèrent devant la porte avec une civière. Il ne restait plus personne dans la chambre. Il était temps d'emporter le corps. Avant d'entrer dans la pièce, le plus jeune demanda d'une voix hésitante :

– Il a quel âge, notre cadavre ?

– Soixante-dix-huit ans. C'est sa veuve et sa petite-fille qu'on a croisées dans le passage.

Mélinda ! Les souvenirs manquants refluèrent dans la tête d'Emmanuel. Sur la mystérieuse ligne du temps, sa merveilleuse épouse Mélinda et sa petite-fille Laurie-Ann avaient assisté à la noyade, soixante-huit ans avant qu'elles l'accompagnent, en chair et en os cette fois, au terme de sa vie.

Sa main longue et parcheminée comme celle de sa femme glissa doucement de son ventre à son flanc en signe d'intelligence et, au moment du départ enfin accepté, un ultime sourire éclaira son visage amaigri.

Un petit secret

Michel Lavoie

JANIE SAUTE en bas de son lit et se précipite à la fenêtre. Aussitôt les rideaux
écartés, elle cligne des yeux. Le soleil fait
danser des pépites d'or sur le feuillage
des arbres. Durant la nuit, la pluie est
tombée en rafales. Maintenant, le ciel
reprend ses gouttelettes, des dizaines à la
fois. Pour les amener ailleurs. Pour re-
créer le cycle de la vie. Les aboiements
d'un chien, les cris des enfants, les chants
des oiseaux, tout cela rappelle à Janie
qu'elle est bien vivante. En santé. Toute
jeune et toute pimpante.

Son grand rêve s'incruste davantage
dans son esprit : devenir une comédienne de théâtre. Elle chérit ce rêve
depuis… depuis qu'elle a vu cette pièce

à l'école. Elle ne se souvient plus du titre, mais elle se rappelle très bien la jeune demoiselle qui tenait le premier rôle. Comme elle lui ressemblait ! La même teinte de cheveux, les mêmes traits du visage, la même intonation dans la voix. Pendant de longues minutes, Janie s'était laissé imprégner par le personnage, était devenue son *alter ego*. Une fois le spectacle terminé, elle s'était juré de tout faire pour être comédienne.

« Un jour, je vais parcourir le monde avec une troupe prestigieuse. Un jour, je serai une vedette ! »

❧

Hier, Janie a eu peur, très peur même. Tout de suite après le souper, elle a ressenti de terribles crampes à l'estomac. Puis, des tonnerres ont éclaté dans sa tête.

– Maman ! a-t-elle crié au bord de la panique, ma tête va exploser !

Elle s'est mise à pleurer doucement tant cela lui faisait mal. Sa maman avait beau garder son calme, la pâleur de son visage révélait son anxiété. Elle a pris Janie par la main et l'a conduite à sa chambre. Une fois sa fille étendue sur le lit, elle est allée chercher le thermomètre.

Elle l'a placé dans la bouche de Janie en murmurant d'une voix chevrotante :

– Ne t'inquiète pas, ma chouette. Ça va aller mieux dans quelques minutes.

Janie s'est enfouie dans les bras de sa maman. Et là, tout a commencé à tourner autour d'elle : les murs, les meubles, ses jouets et même son gros nounours préféré qui a culbuté jusque dans le garde-robe. Elle a fermé les yeux pour fuir le vertige qui la gagnait à une vitesse foudroyante, mais cela n'a pas aidé. Au contraire, l'étourdissement s'est quintuplé. Alors, elle a plongé dans un grand trou noir. Puis, plus rien, à l'exception d'un cauchemar dont elle se souvient avec moult détails :

C'était le 22 juin, la dernière journée d'école. Enfin ! Janie quittait le primaire pour le secondaire. Sans même avoir eu de vacances d'été, elle entrait dans la grosse école par une porte étrange dont la poignée était toute gluante. Peu importe, elle y était, et le reste n'avait aucune importance. Elle avait tant espéré ce jour.

Tout lui semblait énorme. Et quel vacarme ! Les jeunes couraient dans toutes les directions à la fois. Certains lançaient des cris stridents, d'autres s'injuriaient pour des balivernes. La pauvre Janie se tenait debout au milieu de cette marée envahissante. Elle ne savait pas où aller, à qui s'adresser pour obtenir des informations. De haut-parleurs grincheux parvenaient des ordres inintelligibles : « Pour les 208, dirigez-vous au local 34B situé à côté du 216Y, près du 812W. Le cours géo 129 est déplacé au laboratoire de chimie à proximité du gymnase adjacent à la cafétéria. Vite ! Les retardataires seront sévèrement punis. »

Horreur !

Elle ne pouvait pas être en retard. Le premier jour en plus ! Elle serra les poings, puis se projeta en avant sans se soucier des autres élèves qui s'affolaient. Aussitôt, elle sentit des ailes se déployer sous ses bras et elle s'envola dans les airs. Comme un ange ! Comme un avion ! Comme une fusée ! Elle tournoyait sans arrêt, planant au-dessus de l'école et, en même temps, dans l'école. Malgré sa grande vitesse, elle pouvait voir chaque centimètre de la scène qui se jouait sous elle. Cela ressemblait à une pièce de théâtre dont elle était le maître d'œuvre. Soudain, le vide, le noir…

– Tu vas mieux, Janie ?

Un monsieur tout habillé de blanc la fixait avec douceur ; à ses côtés, des larmes sur les joues, sa maman se tenait bien droite. Le médecin consola Janie :

— Ce n'est pas grave. Tu as eu une faiblesse. Cela arrive à l'occasion chez les enfants en croissance. Quelques jours de repos, et tu te sentiras en parfaite forme.

Elle était retournée à la maison, épuisée mais soulagée.

⚜

Janie marche vers la cuisine. Elle évite le moindre bruit afin de surprendre sa maman, lui montrer à quel point elle a vite récupéré. Et elle a une faim de loup ! Elle va manger quatre rôties, des céréales, des fruits.

Elle s'arrête d'un coup sec. Maman est au téléphone avec quelqu'un. Bizarre, elle chuchote, elle glisse des mots dans un ruisseau de larmes, dans des sanglots qui l'étouffent presque. Quelques-uns de ces mots détonnent dans les oreilles de Janie : « Terrible maladie, secret, découragement, examens approfondis, hôpital, chirurgie. »

Elle vacille. Des perles de sueur serpentent sur son front. La nausée l'envahit. Elle prend une grande inspiration, puis s'éloigne sur la pointe des pieds. Elle regagne sa chambre, se jette sur son lit. Elle empoigne un oreiller et le plaque contre son visage. Heureusement parce que, au même moment, son cri éclate si fort que sa maman l'aurait entendu. Et il ne faut surtout pas que sa maman sache qu'elle a surpris sa conversation. Pauvre maman ! Elle a déjà assez de peine comme ça. Depuis des mois, tous les malheurs lui tombent dessus au travail. Et voilà qu'elle apprend que sa fille souffre d'une terrible maladie. Ce n'est pas le temps de l'importuner.

D'ailleurs, Janie est une grande fille maintenant. Elle a beaucoup de courage et va jouer le rôle de sa vie ! Elle fera semblant de ne rien savoir. Et elle endurera son mal sans le laisser paraître.

⁂

Janie sursaute. Elle a fait un autre cauchemar. Cette fois, elle n'était plus dans la grosse école secondaire, mais dans un minuscule hôpital. Il manquait de place, de lits, de civières, et de tout. Elle était

couchée sur un téléviseur d'où prove-
naient des images hallucinantes dont elle
faisait partie. Elle jouait un rôle dans un
téléroman populaire. De fait, elle était la
super vedette adulée de tous. Quel bonheur ! Janie exultait. Son succès dépassait
ses plus grands espoirs. On allait lui remet-
tre le Gémeau de la plus grande actrice
lorsque de la salle monta un murmure
presque inaudible mais tellement sinistre :

— Janie, tu es malade, très malade,
très très malade.

Alors, la foule en délire se mit à scan-
der à répétition, de plus en plus fort :

— Janie, dis-le à ta maman !

Les spectateurs hurlaient à s'en fendre le cœur. On lui lançait des insultes,
on se moquait d'elle, on l'accusait d'hypo-
crisie. Tout à coup, des hommes mon-
tèrent sur scène, prirent Janie dans leurs
bras, puis la projetèrent très haut dans le
ciel par une ouverture dans le toit. Elle
se sentait si légère. Parfois, elle ouvrait la
bouche pour goûter aux nuages blancs.
Parfois, elle se concentrait pour éviter
d'être happée par un éclair. Parfois, elle
pleurait des gouttelettes de pluie en pensant à sa pauvre maman…

— Janie ! Réveille-toi, Janie, tu fais un
cauchemar.

Janie rouvre les yeux. Sa maman la contemple avec toute la tendresse du monde. Son sourire étincelle et répand des chaleurs sur tout son corps. Un instant, son cauchemar lui remonte à la mémoire. Elle n'a plus le choix d'avouer son secret. Oui, elle sait qu'elle est très malade ! Oui, elle aura le courage de combattre sa terrible maladie !

Elle inspire un bon coup, veut choisir les meilleurs mots.

— Maman, je... je suis au courant de... bien je t'ai entendue au téléphone... ne t'en fais pas... je suis une grande fille.

Sa mère l'observe attentivement. Perplexe, elle pose une main sur le front de sa petite fille. Son verdict : non, elle ne fait pas de fièvre, mais elle ne comprend pas le sens de ses paroles.

— Janie, tu es au courant de quoi ? J'ai dit un tas de choses au téléphone, surtout aujourd'hui. J'ai parlé à tante Lucie, à mon frère Christian, à un collègue de travail et peut-être à d'autres gens que j'oublie.

Janie s'énerve de plus en plus. Sa maladie doit être terrible pour que sa maman refuse de la lui dévoiler. Alors qu'il y a quelques heures à peine, elle avait le goût de sauter partout, elle se demande maintenant si elle va pouvoir faire le prochain pas. Elle se sent toute molle, affaiblie par cette maladie affreuse. Des crampes s'insinuent dans tout son corps. Son pouls palpite de plus en plus vite. Un frisson la traverse, elle tremble.

– Janie ! Ma petite fille ! Qu'est-ce qui t'arrive ?

Janie voudrait crier, mais les mots restent prisonniers dans sa gorge, dans une boule d'émotions à fendre l'âme. Elle n'a plus le goût de jouer un rôle. Elle veut tout simplement être elle-même. Ne plus fuir. Ne plus aspirer à être une grande fille du secondaire, du moins pas tout de suite. Elle se blottit contre sa maman. Le réconfort la gagne. Elle est prête à dévoiler son petit secret.

– Tantôt, je t'ai entendue parler de maladie au téléphone. Maman, je sais que je suis très malade, mais ne t'inquiète pas pour moi. Je vais guérir.

Sa maman reste bouche bée. Elle prend la main de sa fille et lui murmure :

– Ma pauvre Janie, ma petite fille ! Je parlais à mon frère Christian de la maladie de… ta tante Lucie.

Le monde est malade

Carmen Marois

À mon amie S.T.
dont je salue ici le courage

DEPUIS QUE MA MÈRE est partie, il y a un mois, les choses n'ont plus le même goût. Depuis qu'elle a quitté la maison en disant qu'elle avait besoin de vacances, les aliments que nous mangeons nous semblent fades et la maison n'est plus aussi chaleureuse. Mon père, mon frère Bruno et moi avons bien compris que, après vingt ans de vie de famille, ma mère se sente soudain fatiguée ; seulement, notre vie en est bouleversée.

Avant de partir avec sa petite valise, elle nous a réunis au salon pour nous dire qu'elle nous aimait plus que tout au monde, mais qu'il lui fallait impérativement des vacances.

– Votre Mère Courage est fatiguée. Lessivée. En fait, je suis à bout, nous a-t-elle avoué. Je rends les armes. Si je ne prends pas de vacances maintenant, je tombe malade. C'est sûr.

Personne n'a envie de vivre avec une mère malade. Alors, on a tous accepté, quoique sans joie, qu'elle nous quitte pour un mois.

– Un mois, MI-NI-MUM, a-t-elle précisé.

Un mois ! Autant dire toute la vie ! Un mois sans mère, c'est comme un mois sans jus de pêche-mangue-et-fraise. Je n'aurais jamais cru que ce fût possible. Mon père non plus d'ailleurs. Avant son départ, il ne s'était jamais rendu compte que tout le bonheur de la maison reposait, en grande partie, sur les épaules de notre mère.

– Évidemment, a-t-elle ajouté, je prends aussi congé de la bibliothèque. Comme ça, je pourrai enfin lire !

Nous sommes restés pétrifiés. Alignés tous les trois sur le canapé du salon, comme des pigeons sur un fil électrique, nous nous sommes regardés sans oser rien dire. Le visage de mon père a brusquement pris une vilaine couleur blanc fantôme, car jamais il n'aurait pensé que ma mère était fatiguée au point de quitter son travail pendant un mois, en dehors de la période des vacances. Ma mère est bibliothécaire depuis vingt-cinq ans et elle adore littéralement son travail. Qu'elle prenne à la fois congé de sa famille adorée et de sa bibliothèque chérie, c'était du jamais vu. On a alors compris que la situation était grave. Maman a tenté de nous rassurer de son mieux :

– Je ne pars pas loin, à quelques rues d'ici seulement. Je viendrai vous voir de temps en temps. Mais ne me demandez rien. Vous pouvez m'appeler pour que je vienne dîner ou souper avec vous. Mais vous devrez me traiter en véritable invitée.

– C'est-à-dire ? a demandé candidement mon petit frère Bruno qui n'a que dix ans.

– C'est-à-dire, a répondu ma mère, que si j'accepte votre invitation, je me comporterai comme nos invités : j'arriverai pour me mettre les pieds sous la table. Je ne composerai pas le menu, je ne cuisinerai pas le repas, et, surtout, je ne m'occuperai pas de la vaisselle. Je me laisserai servir, tout simplement. Ça me changera un peu.

Ça ne sera pas trop difficile, ai-je songé. Puis, je me suis enquise :

— As-tu loué un apart ?

— Ce n'est pas nécessaire. Je prends le *loft* d'Alessandro.

J'ai alors vu les sourcils de mon père dessiner un curieux arc de cercle. Alessandro est le plus vieil ami de notre mère, et papa ne l'aime pas trop.

— Alessandro est parti à Paris pour six mois, a précisé maman. Une conférence de l'Unesco sur le Burkina Faso. Il a été invité à participer à un projet d'aide humanitaire. Une exposition internationale destinée à venir en aide aux démunis de ce pauvre pays. Quelque chose comme ça.

Je ne sais pas où se trouve *exactement* le Burkina Faso, mais je me suis soudain sentie aussi démunie que ses habitants les plus fauchés. C'est ça la compassion, comprendre dans son cœur la misère de ceux qui nous sont étrangers.

— Tu veux dire, a répliqué mon père d'une voix cassante, que ton ami assistera là-bas à de plantureux banquets autour desquels les délégués discuteront de la faim dans le monde...

Ma mère n'a pas relevé. Elle évite toujours les discussions au sujet d'Alessandro. Mais elle s'est alors levée pour nous embrasser tous les trois. Ça n'a pas dû être facile pour elle, car j'ai vu qu'elle était émue. Ses pommettes étaient plus rouges que d'habitude et elle avait les yeux humides. C'est vrai qu'elle avait l'air fatiguée. Pour la première fois de ma vie, j'ai vu la femme derrière le masque de la mère. Et cette femme, que j'aime de tout mon cœur, avait les traits tirés. J'ai remarqué quelques rides, à peine visibles autour de sa bouche et de ses yeux, quand elle s'est penchée pour m'embrasser.

Lorsqu'elle est partie et que la porte a claqué derrière elle, je me suis sentie comme une vivante sur laquelle on venait de refermer à jamais les portes d'un tombeau humide et glacial. Mon père n'en menait pas large. Mon petit frère non plus.

⁂

Le soir du départ de maman, nous avons ressenti le besoin urgent de déguerpir de la maison. Papa nous a donc tous emmenés au restau. Personne n'avait vraiment faim, mais il nous fallait à tout prix fuir l'atmosphère funèbre qui empoisonnait à présent notre foyer. Pour éviter d'avoir à rentrer trop tôt, papa nous a ensuite proposé d'aller au cinéma. Pendant cent vingts minutes, nous avons presque pu échapper à notre tristesse.

Au cours des quinze jours qui ont suivi, nous sommes allés manger tous les soirs au restaurant. On les a tous essayés. Les petits bistrots, les grands restaus, les buffets chinois, les comptoirs de service rapide. Pendant quinze jours on a bouffé thaïlandais, italien, végétarien japonais, haïtien, portugais, coréen, grec, créole, cambodgien, marocain, indien, mexicain.

Un véritable tour du monde culinaire !

Au bout de quinze jours de ce régime, on en avait tous soupé des restaus !

– Je m'ennuie des repas de maman, a pleurniché mon petit frère.

– Il faut faire quelque chose, a dit mon père.

– Il faut faire des courses, ai-je répondu du haut de mes quatorze ans.

– Alors, en route ! a ordonné papa.

Nous nous sommes tous les trois engouffrés dans la mini-fourgonnette que maman nous a généreusement abandonnée, préférant pour sa part partir avec la New Beetle.

« En ville, a-t-elle proclamé en s'emparant prestement des clefs laissées sur le guéridon de l'entrée, c'est plus facile à stationner. »

Une fois installées dans la MPV, mon père a démarré le moteur et m'a demandé :

— Où allons-nous ?

Sa question a eu l'effet d'un pétard qui explose dans une église durant la messe de Minuit.

— Euh…

— Ben…

Personne n'était capable de répondre à sa question.

— Un de vous deux doit bien savoir où votre mère fait les courses ! a explosé mon père.

— C'est-à-dire que…

— Pas vraiment…

Le silence est tombé dans la camionnette comme une bombe sur l'Afghanistan.

Nous venions brusquement de prendre conscience que, sans que l'on sache trop comment, notre mère, malgré son travail de responsable d'une importante bibliothèque municipale, arrivait à garder pleins le réfrigérateur et les armoires.

— Valérie, m'a interpellée mon père, tu dois bien te souvenir où vous alliez avec maman…

Papa est dentiste. Il travaille quatorze heures par jour. Il ne s'est jamais vraiment préoccupé des courses. Ma mère travaille aussi beaucoup mais, comme toutes les mères, c'est une fée. Non seulement est-elle bibliothécaire à temps complet, mais aussi cuisinière hors pair, infirmière, coursière et lavandière à temps plein. Avant que maman décide de prendre des vacances sans nous, mon père, mon frère et moi trouvions cela normal. Les choses semblaient se faire toutes seules, comme si la maison était vivante, magique. Nous avons seulement oublié que la fée, celle qui détenait des pouvoirs merveilleux, c'était notre mère. Une femme ordinaire, aujourd'hui trop fatiguée pour continuer à s'occuper seule de tout.

– Maman faisait des courses à différents endroits, ai-je expliqué à mon père.

– Je sais, a-t-il répondu d'une voix lasse. Au début, nous faisions tout ensemble. Et puis, le travail, la paresse aussi, ont fait que j'y suis allé de moins en moins. Quand je l'accompagnais, je me contentais de la suivre, de pousser le panier et de porter les paquets.

– Maman allait chez *Outlaw*, s'est souvenu mon petit frère.

– C'est vrai fiston! Allons-y, a dit mon père en enclenchant la première vitesse.

Faire les courses avec maman chez *Outlaw* était des plus amusants pour nous. Nous courions dans les rayons en essayant de la convaincre d'acheter tout ce qui nous tentait.

Sans elle, nous étions perdus.

Accrochés au gigantesque panier d'*Outlaw* comme des naufragés à leur radeau, nous contemplions l'immensité du grand magasin. Quelle boîte de petits pois choisir parmi la trentaine de sortes proposées? Quelles pâtes? Quel papier hygiénique? Quel détersif? Quelle viande?

– En fait, nous avoua notre père, tout ce que je sais acheter tout seul maintenant, c'est le vin, les alcools et les cigares... Pour le reste, je me fiais à votre mère.

– Et moi, les jus, les croustilles et les boissons gazeuses, ajouta mon petit frère.

Plus on se promenait dans le magasin, et moins on avait envie d'acheter.

– Le monde est malade, a dit mon père qui fixait depuis dix minutes le rayon des savons pour lave-vaisselle.

J'ai pris sa main et je l'ai serrée. Il semblait si malheureux devant toutes ces boîtes, incapable de choisir le bon détersif.

– Tu sais, Valérie, m'a expliqué papa, il faut une fée comme votre mère pour distinguer le bon grain de l'ivraie. La terre entière souffre de « mal bouffe ». Les deux tiers de l'humanité crient famine, pendant que nous mourons de trop et de mal manger.

Bruno aussi s'était rapproché et l'écoutait avec attention.

– Votre mère, elle, sait démêler le vrai du faux. Elle sait où acheter le poulet de grain qui a vécu une vraie vie de poulet, au grand air. Pas dans une usine, véritable camp de concentration pour volatiles. Elle n'a pas son pareil pour acheter du vrai fromage, celui qui a du goût et de l'âme. Elle sait choisir les fruits et les légumes de saison, le poisson frais, élevé libre dans la mer ou les lacs.

Puis, il proposa, après un bref instant de réflexion :

– Sortons d'ici !

Sans rechigner nous avons abandonné le panier aussi grand qu'une benne à ordures et nous sommes sortis en nous tenant tous les trois par la main.

❧

La porte de la maison est grande ouverte et nous nous apprêtons à accueillir dans quelques instants nos premiers visiteurs à l'exposition internationale Valérie et Bruno. J'ai décidé d'exposer les dessins de mon frère et les miens. C'est l'histoire d'Alessandro parti à Paris s'occuper d'une exposition au profit du Burkina Faso qui m'en a donné l'idée. Après tout, sans notre mère, ma famille et moi sommes aussi démunies que les plus paumés de ce pauvre petit pays d'Afrique.

Ce soir, c'est le vernissage. Nous avons invité tous les habitants du quartier et aussi notre mère, puisqu'elle est devenue notre voisine.

Papa a dépoussiéré ses vieux livres de recettes et nous a cuisiné son fameux lapin aux pruneaux. Hum ! Ça sent bon !

Maintenant qu'on a compris, il espère ainsi convaincre maman de rester ici ce soir…

Délice au thon

Sophie-Luce Morin

*Petit clin d'œil
à Caroline Désy*

LA GROSSE DAME évachée devant la télé, c'est la vieille chipie d'Adélaïde, chez qui je joue à la servante pour l'été. Pour l'éternité, autrement dit. Moi, c'est Sandrine. Quasiment Cendrillon. Comme dans le conte. Je passe mes journées à faire du lavage, de l'époussetage. À passer l'aspirateur, à cirer les parquets, à frotter l'argenterie, à faire la cuisine. Et cette Adélaïde qui n'est jamais satisfaite ! « Il reste encore une tache ici ! Et là, regarde : des grains de poussière ! » C'est mon premier emploi d'été. Je voulais me faire un peu d'argent. Mais déjà, après une semaine, j'en ai ras le bol.

Aujourd'hui, Madame veut une baguette au thon, laitue et mayonnaise, pour dîner.

– Il n'y a plus de thon, Madame.

– Il faudra aller en acheter chez l'épicier. Je ne veux pas autre chose, pour dîner, qu'une baguette au thon. Allez, dépêche-toi un peu !

Elle se lève péniblement, la grosse Adélaïde, et marche jusqu'à la cuisine. Ouvre la porte de l'armoire et prend de l'argent dans une boîte à biscuits en fer blanc.

– Tiens, dix dollars. Avec ça, tu en auras largement pour m'acheter, en même temps, une tablette de chocolat noir.

Je la déteste.

Je prends l'argent et claque la porte. Un peu d'air ne me fera pas de tort. L'épicier est à trois coins de rue. Devant moi, un paysage de carte postale qui ne m'est pas familier du tout. Des maisons cossues avec de longues galeries, des jardinières remplies de fleurs, de grands carrés de pelouse bien taillée. Rien de ce à quoi ma ville et ses ruelles m'ont habituée. Je m'ennuie. Enfin, j'arrive chez l'épicier. J'arpente les allées. Un vieux monsieur tout pimpant qu'on dirait sorti d'une boîte à surprise me demande alors s'il peut m'aider.

— Oui, peut-être. Je cherche une boîte de thon.

— Du thon ? Bien sûr. Troisième allée, deuxième rangée, à gauche. Au bout.

D'un pas assuré, je me dirige vers l'allée en question, jusqu'au bout. Mais la deuxième rangée de gauche est vide ! Il ne reste que ce gros écriteau : LES RABAIS ÉCLAIRS DE LA SEMAINE. Je m'en retourne vers mon gentil monsieur.

— Monsieur, je crois qu'il ne reste plus une seule boîte de thon.

— Ah bon ? Allons voir ça de plus près.

On refait le trajet, lui et moi. Troisième allée, deuxième rangée, à gauche.

— Eh ! Eh ! dit-il. Il y en a qui ont profité des rabais avant vous ! Mais tout n'est pas perdu : peut-être me reste-t-il quelques boîtes dans l'entrepôt ? Sur ce, il disparaît.

Pendant ce temps, je m'attarde à l'étalage du chocolat. J'en prends deux tablettes : une pour Madame et une pour moi.

— Eh non ! malheureusement, je n'en ai plus, qu'il me crie du bout de la deuxième allée. Mais on m'en livrera demain.

Demain ? Mais c'est aujourd'hui qu'elle veut sa baguette au thon, Adélaïde. Et c'est aujourd'hui que je vais la lui servir ! Qu'à cela ne tienne…

– Bon. Ça ne fait rien. Avez-vous de la nourriture pour chat ?

– Certainement. Quatrième rangée, première tablette, toujours à gauche, mademoiselle.

Non, mais… On dirait bien qu'il connaît son magasin par cœur, celui-là ! Je m'avance. Quatrième rangée, première tablette, à gauche. Voilà ! Juste à côté des gros sacs de nourriture pour chiens : *Délice au thon.* Ça sonne bien. J'en prends deux boîtes.

– Ce sera tout, mademoiselle ?

– Oui.

– Votre chat va adorer… C'est nouveau. Le mien, en tout cas, se régale chaque fois que je lui en sers. Il en redemande. C'est un grand gourmand, ce gros minet !

– La mienne est à la fois très gourmande et très difficile. On verra bien.

– Oui, c'est ça. Ça vous fera neuf dollars et trente-neuf, s'il vous plaît.

– Tenez.

La monnaie dans ma poche et mon sac sous le bras, je cours jusque chez ma patronne Adélaïde, hi ! hi ! On va bien rigoler !

– C'est moi, Madame !

– Ce n'est pas trop tôt, Sandrine ! Tu en a mis du temps ! Je suis affamée !

– J'arrive, j'arrive. Dix petites minutes, et ce sera prêt !

J'ouvre une boîte de *Délice au thon*. Eurk ! La baguette, la laitue – que je ne laverai même pas ! La mayonnaise. Bon. Je découpe la baguette en deux. J'étends la mayonnaise. Je pose deux grosses feuilles de laitue d'un côté. Puis, de l'autre, j'étends la pâtée pour chat. Pas trop épais, tout de même ! Je n'oublie surtout pas de cacher la boîte de conserve. Je pose les moitiés de baguette l'une par-dessus l'autre. Et le tour est joué ! Je coupe en deux. Je dépose le tout dans une belle assiette. Quelques petites olives noires. Elle va adorer !

– C'est prêt !

– Bon. Enfin ! J'arrive !

Elle s'assoit, toujours à la même place. Moi, devant. Je la regarde comme si elle avait trois yeux, ou les cheveux verts, ou des antennes…

– Tu ne manges pas, toi, Sandrine ?

– Tout à l'heure, Madame. Je n'ai pas tellement faim.

– Comme tu voudras. Mais tu manques quelque chose. C'est bon. Très bon, même. Dis, ça ne t'embêterait pas de m'en faire une autre ?

– Pas de problème. Vous aimez vraiment ?

– C'est délicieux. Ce n'est pas le même thon qu'à l'habitude, n'est-ce pas ?

– Non. L'épicier n'en avait plus. Alors, j'ai choisi une autre marque.

– Ah bon !

– J'y pense, Madame : pourquoi ne passeriez-vous pas au salon, le temps que je vous prépare une autre baguette ? Ce serait bête que vous manquiez votre émission de télé. Je vous ferai signe quand ce sera prêt, d'accord ?

– Oui, tu as raison. J'y vais.

On recommence. La baguette. La mayonnaise. La laitue. La pâtée pour chat. On coupe en deux. Et on cache la boîte suspecte…

– C'est prêt !

– Me voici !

Non, mais ma foi, elle court presque ! Si elle savait, elle serait folle de rage, ou malade, j'en suis certaine…

Elle mange. Elle ne mange pas, elle dévore.

– Quelques croustilles avec ça ?

– Ce n'est pas très bon pour la santé mais, comme on dit, c'est bon pour le moral !

– De l'orangeade ? de l'eau citronnée ? du thé ?

– De l'eau citronnée ! Quelle bonne idée !

On dirait un numéro de cirque.

– Une autre baguette ?

– J'hésite : je dois, je ne dois pas…

– Allez, allez, elles ne sont pas bien longues, ces baguettes, après tout !

– Bon, d'accord. Mais c'est la dernière ! Je mangerai le chocolat en fin d'après-midi.

Elle s'en retourne dans le salon. On recommence. On ouvre une deuxième boîte de *Délice au thon*. La baguette. La mayonnaise. La laitue. On étend la pâtée. On coupe en deux…

– C'est prêt !

– Me voilà !

Elle mord dans la baguette à belles dents, comme si c'était la première que je lui servais. Une ou deux bouchées de croustilles. Une gorgée d'eau citronnée.

– Ouf ! je commence à avoir l'estomac plein, moi !

– Il était temps… Je veux dire : il est important de prendre le temps de bien digérer, Madame.

Puis tout à coup, ses yeux se posent sur le comptoir.

– Dis, mais c'est quoi cette boîte-là, Sandrine ?

Zut, j'ai oublié de cacher le *Délice au thon*… Allez, allez, Sandrine, trouve une excuse…

Adélaïde se lève alors de sa chaise avant que j'aie eu le temps de dire quoi que ce soit. S'avance vers le comptoir. Porte ses lunettes à ses yeux.

– De la nourriture pour chat ?

– Tout à fait.

– Mais je n'ai pas de chat !

– Je sais Madame. C'est juste… C'est juste que j'ai trouvé un gros minet abandonné, qui souffrait de la faim. Et de la solitude, surtout. Je l'ai nourri. Il a presque tout mangé. Deux boîtes de *Délice au thon*. Complètement affamé. Vous ne m'en voudrez pas j'espère ?

– Je ne supporte pas les chats, et tout ce qui se rapporte à eux. Ça me rend malade. Tu ne peux même pas imaginer. Que je ne t'y reprenne plus jamais, pauvre idiote !

– D'accord, Madame.

– Je vais m'allonger un peu. Je ne me sens vraiment pas bien.

J'ai débarrassé le comptoir. J'ai frotté. Passé et repassé avec mon torchon, aux mêmes endroits. Tourné et retourné dans ma tête cette pensée que rien ne m'obligeait à faire ce travail. J'étais en train de décaper le comptoir de chêne à force de frotter, de penser, quand j'ai senti quelque chose d'étrange me frôler la jambe. J'ai regardé par terre. Mais d'où pouvait bien sortir cet énorme chat… avec des lunettes?

En moins de deux, j'ai fait mes valises et j'ai pris le premier autobus pour Montréal. Qui sait si la folie ne m'avait pas déjà gagnée?

Est pris qui croyait prendre

Josée Ouimet

—**C**LÉMENT, lève-toi ! Tu vas être en retard pour l'école !

Je me recroqueville sous mes couvertures. Pour la deuxième fois, l'appel de maman me fait craindre le pire : aller à l'école.

— Clément ?

— Oui, oui. J'ai entendu ! que je lui crie en rabattant brusquement mes draps.

Je m'assois sur le bord du lit, les pieds pendant au-dessus de mes pantoufles de peluche brune. Un malaise se niche dans mon ventre. J'y porte la main en sachant très bien ce qui me stresse ainsi.

L'école…

Ça fait déjà trois ans que je m'y rends, chaque jour de la semaine, dix mois par année. Cent quatre-vingt-trois jours durant lesquels je cherche mille et une excuses pour ne pas quitter la maison. Pour ne pas aller m'asseoir, trop longtemps à mon goût, en silence, écouter le professeur nous instruire.

Bien sûr, c'est intéressant parfois ! Mais, après chaque fin de semaine passée à jouer dehors avec mes amis, à faire des emplettes avec ma mère, à bricoler avec mon père ou encore à jouer à des jeux vidéo, je n'ai pas envie d'y retourner.

— Clément !

Cette fois, c'est vrai. Il faut que je me lève, et en vitesse. Sinon, elle va venir me sortir elle-même du lit. J'entends déjà le bruit de ses pas qui martèlent le bois verni. Elle traverse le vivoir et emprunte l'escalier qui monte à ma chambre.

Au creux de mon ventre, le malaise s'intensifie. Je pose le plat de ma main sur mon cœur qui bat trop vite. Je me lève, enfile mes pantoufles, fais quelques pas quand la porte s'ouvre d'un coup sec.

— Clément ? Est-ce que ça va ? demande maman qui fait irruption dans la pièce.

— Je… je ne sais pas trop… Je…

J'ai chaud. Des gouttes de sueur perlent sur mon front.

– Je crois que… je suis malade, dis-je en retournant me jucher sur le bord de mon lit.

– Tiens donc ! ironise maman avec un petit sourire qui en dit long. Ne viens pas me dire que tu t'es trouvé un nouveau prétexte pour ne pas aller à l'école ?

– Mais non, que vas-tu penser là ! J'ai mal au ventre depuis très tôt ce matin.

Maman me regarde, perplexe, croise les bras et fait la moue. Je sais bien ce qu'elle pense :

« Tu nous fais le même coup depuis ta maternelle. Au début, c'était le mal de cœur. En première année, tu avais des migraines. En deuxième, mal aux oreilles. Cette fois… »

– Cette fois, c'est le mal de ventre ? interroge Justine.

Je déglutis avec peine. Comment lui faire avaler que je ne le sais pas vraiment ? Que ce que je ressens est un mélange de douleurs, de crampes, de gargouillements, de serrements et de vide tout à la fois. Comment décrire, en trois petits mots, le monstre qui se cache dans mes entrailles ? Un monstre avec

des griffes pointues, qui tantôt me cha-
touille, tantôt me déchire.

– C'est comme si… hasardé-je.

– Oui ?

– Comme si un monstre me serrait
ici.

Du bout de mon index, je lui désigne
la région du plexus solaire situé à envi-
ron deux centimètres et demi au-dessus
du nombril.

Maman Justine s'avance, l'air calme
et rempli de sollicitude, et, du bout des
doigts, touche l'endroit désigné.

– Ouche !

Justine me jette un regard incrédule
et se redresse. Elle ne parle pas et semble
réfléchir. Elle croise les bras, soulève la
main droite et du bout de son index,
tapote doucement son menton.

– Mmmm… Je crois que c'est peut-
être grave, laisse-t-elle enfin tomber
après un moment.

– Hein ? dis-je, interloqué par le ton
de sa voix. Comment ça, grave ?

– Allonge-toi, dit-elle, je reviens im-
médiatement.

Maman sort de la chambre, non sans
avoir, auparavant, allumé la petite
lampe qui trône sur le dessus de la com-
mode.

Docile, j'obéis.

Je remonte les couvertures sous mon menton, ferme les yeux et... souris. Encore une fois, j'ai pu me soustraire à la dure réalité de la vie d'écolier.

– Un véritable talent de comédien sommeille en moi, me dis-je, tout heureux.

Dans la lumière du jour et celle de la petite lampe, le jaune des murs de ma chambre brille comme un soleil. Sur mon pupitre, le CD-ROM Exile me fait augurer des heures de plaisir pour la journée à venir.

J'entends maman qui revient. Je ferme les yeux subito presto et reprends mon air affligé.

– Tiens, j'ai trouvé ! dit maman en pénétrant dans la chambre.

Elle tient un flacon. Il est très long et très mince. Mais, ce qui m'intrigue le plus, c'est le liquide d'une couleur bizarre qu'il renferme.

– Mais... commencé-je, inquiet, qu'est-ce que c'est ?

– Oh ! C'est l'attirail de la parfaite infirmière, mère de famille, répond Justine en souriant.

Ce disant, elle dépose le flacon sur la table de chevet située juste à la droite de mon lit, se redresse un peu, étend la main et touche mon front. Puis, elle rabat doucement les couvertures et pose le plat de sa paume sur mon ventre.

– C'est bien là ? interroge-t-elle.

– Moui…

– Tu me dis si ça fait mal, très mal ou si c'est intolérable.

De ses doigts fins, elle exerce une pression sur mon plexus.

– Alors ? demande-t-elle sans lever les yeux.

– Heu… ça fait mal, un peu.

– Et ici, ajoute-t-elle en pressant ses doigts sur les côtés de mon abdomen.

– C'est difficile à dire… Un peu mal, peut-être.

– Et là ?

Elle agite tant ses doigts autour de mon nombril que je me tords de rire. Je suis tellement chatouilleux à cet endroit !

– C'est plus grave que je ne le croyais, m'avise-t-elle en ramenant la couverture sur ma poitrine. Pauvre Clément !

Le ton alarmiste de Justine me fait peur. Je cherche sur son visage une réponse à l'angoisse sourde que je sens monter en moi.

« Est-ce vrai ? Suis-je donc si malade ? »

– Il va falloir nous présenter à la salle d'urgence de l'hôpital. Un médecin décidera peut-être de te faire passer un lavement baryté ou d'autres examens, continue maman en ouvrant le flacon.

– C'est quoi un lavement baryté ?

– Rien de bien plaisant, si tu veux le savoir. Il faut que tu boives un liquide laxatif qui goûte l'eau minérale à l'orange. Et puis, il y a les examens pour voir à l'intérieur de tes intestins s'il y a quelque chose d'anormal. Mais c'est pour te guérir, mon chéri ! Il faut faire confiance aux grands !

Je ne suis plus sûr si j'ai mal ou pas. Je ne suis plus certain de vouloir rencontrer un médecin. Ou pis encore de me retrouver à l'urgence de l'hôpital. Se pourrait-il que ma petite entourloupette se retourne contre moi ?

Je cherche, dans les yeux de ma mère, une réponse à ma question. Le sourire bienveillant qu'elle me sert ne me dit rien qui vaille.

– Le médecin va peut-être te prescrire une diète sévère à suivre.

– Une diète ?

– Enfin, il va falloir faire attention à ne pas manger de sucreries, de croustilles ou autres friandises du genre. Du moins jusqu'à ce que l'on ait trouvé la cause de ton mal de ventre, explique maman.

Soudain, j'ai peur. Peur de devoir rester cloîtré dans la maison alors que tous mes copains seront en train de jouer. Peur de devoir rattraper les cours perdus en faisant des travaux supplémentaires à la maison. Peur de ne plus pouvoir manger mes aliments préférés : les chocolats, les gâteaux, les croustilles et toutes ces bonnes choses qui me font saliver rien qu'à les évoquer.

– Mais d'abord, prends ça, dit maman en tendant une cuiller remplie d'un liquide blanchâtre. Ça calmera au moins tes crampes.

Une odeur épouvantable effleure mes narines et me donne la nausée. Je fixe d'un air dégoûté la cuiller et, d'un geste brusque, je détourne la tête.

– C'est un excellent remède, tu vas voir, renchérit-elle en approchant davantage l'instrument de mon supplice.

Je déglutis avec peine. L'odeur se fait de plus en plus persistante. Un haut-le-cœur me soulève la poitrine et je dois mettre la main devant ma bouche pour que Justine ne me fasse pas avaler le médicament de force.

– C'était juste un petit malaise de rien du tout.

– Vraiment ?

Sous le regard amusé de Justine, je rabats mes couvertures pour la deuxième fois et saute du lit.

– J'ai faim, dis-je encore.

– Pauvre Clément. Mais tu ne peux pas manger, voyons. Sinon, ton mal empirera.

Je lorgne maman qui tient toujours la cuiller entre ses doigts. Elle me fixe d'un regard qui en dit plus long que ses paroles.

« Je suis pris au piège ! »

Je connais trop bien Justine pour savoir qu'elle ne lâchera pas. Elle est rusée, ma mère. Beaucoup plus que moi, d'ailleurs.

– Avale, répète-t-elle sur un ton sans réplique.

Faisant contre mauvaise fortune bon cœur, j'ouvre la bouche toute grande et happe d'un seul coup le contenu laiteux de la cuiller.

– Eurk ! m'exclamé-je en grimaçant. C'est dégueulasse !

Un goût de menthe, doublé d'une saveur dégoûtante s'attache à ma langue qui semble s'épaissir dangereusement.

– Ce remède te guérira de ton malaise et de tous les autres à venir, dit-elle en riant de bon cœur.

Justine quitte la chambre sans se retourner. Son rire, cependant, s'étire longuement dans le silence de la maison. Resté seul, je lorgne le CD-ROM avec lequel j'avais cru tromper l'ennui. Dans ma bouche, le goût âcre de la potion stagne toujours. Je me rappelle alors la peur qui m'a submergé à l'idée de devoir me rendre à l'hôpital et je suis bien content de m'en être tiré à si bon compte.

– Je l'ai échappé belle ! dis-je en quittant la chambre.

Bien décidé à jouir de cette nouvelle journée, je descends l'escalier en quatrième vitesse.

– Hé, maman, je dois me dépêcher, sinon, je vais être en retard pour l'école !

Mal à l'âme

Stanley Péan

JE TE DEMANDE pardon pour le mal que je t'ai fait, Antoine. Je suis malade. Tout le monde le dit : ma mère, mon oncle Harry, le docteur Bernier, tout le monde. Ils se demandent tous ce que j'ai. Moi-même, je pourrais pas dire, pas exactement. Je fais pas de fièvre, j'ai pas de nausée, en tout cas pas vraiment. Mais je suis pas dans mon assiette, c'est sûr. D'ailleurs, j'ai rien mangé depuis deux jours. Pas faim. Et puis, j'ai pas vraiment envie d'en parler. J'ai même plus envie de jouer avec mes poupées ou mes toutous, pas même avec toi, Antoine, même si tu es mon ourson préféré et mon meilleur ami. J'ai envie de voir personne. J'ai le goût de rien.

Sauf peut-être de chialer. J'ai mal à l'âme, je pense.

Aujourd'hui, maman est pas allée au magasin. Elle est restée à la maison pour prendre soin de moi, pour passer un peu de temps avec sa grande fille, qu'elle dit. Mais elle n'est pas restée plus d'une heure avec moi dans ma chambre. Oh, elle a bien essayé de me cajoler, pour que je lui confie ce qui ne va pas. J'ai pas été capable. Les mots sont restés coincés dans ma gorge, comme une grosse boule de gomme que j'aurais avalée de travers. Maman a perdu patience, c'était à prévoir.

– Quand t'auras fini de bouder, tu me feras signe ! qu'elle m'a dit, avant de claquer la porte de ma chambre et de retourner auprès de mon oncle Harry au salon.

Ça m'a toujours fait rire, moi, cette expression : perdre patience. Ma mère, elle en a jamais eu des tonnes, de patience. Elle l'a peut-être perdue en même temps qu'elle a perdu papa, c'est bien possible. Ou alors c'est parce qu'elle l'a perdue que mon père est parti, je pourrais pas dire. J'aime pas penser à cela de toute façon. Et puis, c'est quoi la patience, au fait ? Un jeu de cartes ? Un bijou précieux ? Je sais pas. Et j'ai pas l'intention de demander à maman ; des plans pour qu'elle s'énerve encore après moi ! Ma mère est toujours parée à faire un plat, pour un oui ou pour un non. C'est quand même bizarre, pour quelqu'un qui aime pas cuisiner, non ? Elle a plus de patience pour rien, elle me l'a souvent dit, sur le ton de l'avertissement. Et ce n'est certainement pas mon oncle Harry qui pourra l'aider à la retrouver.

Harry, je l'appelle mon oncle parce que maman voulait que je l'appelle comme ça, mais je sais qu'il est pas vraiment mon oncle. « C'est un ami de maman, un ami très cher », qu'elle m'a dit, le premier jour où il est venu à la maison, comme si j'étais trop jeune pour comprendre qu'il était son nouvel amoureux. J'ai rien dit parce que je voulais pas la blesser dans ses sentiments. Maman est tellement sensible, surtout depuis que papa l'a laissée.

Ça fait des années que mon père est parti, peut-être à cause de la patience que maman a perdue, peut-être pour une autre raison. Je m'en souviens pas très bien. En fait, je me souviens pas beaucoup du temps où papa vivait encore à la maison. Il a foutu le camp depuis tellement longtemps, je sais pas si je pourrais le reconnaître s'il venait m'aborder dans la cour de l'école. Pendant des années j'ai rêvé qu'il le fasse, qu'il m'arrive comme ça en pleine récréation, comme un cheveu sur la soupe, et qu'il m'annonce qu'il revient vivre à la maison, qu'il a acheté une nouvelle patience pour maman. Aujourd'hui, je me fais plus trop d'illusions : ça n'arrivera pas, jamais dans cent ans, comme ils disent. Alors je me contente des cartes et des cadeaux qu'il m'envoie à ma fête et à Noël, des coups de téléphone qu'il me donne de temps en temps, quand il trouve le temps.

Même si papa est sorti de la vie de maman *depuis une éternité* (c'est maman qui le dit), je crois que mon oncle Harry est jaloux de lui. Je sais pas, j'ai peut-être tort, mais on dirait des fois qu'il a peur que mon père vienne reprendre sa place dans le grand lit de maman. Ça doit lui faire très peur, oui, parce qu'il aurait nulle part où aller dormir, je pense. Faut croire qu'il a pas de maison ou d'appartement à lui, le Harry, et c'est sûrement pour ça qu'il s'est installé chez nous. En tout cas, l'idée que papa revienne lui fait vraiment pas plaisir. Un soir, j'en ai parlé devant lui, et son visage est devenu tout rouge et mauvais. Il a donné un coup de poing sur la table à dîner et sa bouteille de bière s'est renversée sur la nappe. Puis il s'est mis à parler très fort, avec une voix pas du tout agréable. Maman s'est énervée encore et m'a envoyée dans ma chambre, privée de dessert. J'ai eu de la peine. Pour eux, je veux dire, parce qu'ils se sont mis à se crier des gros mots. Alors, je t'ai serré, très fort contre moi, mon Antoine. Et je me suis dit que j'aurais pas dû parler de papa.

J'aime pas beaucoup quand maman et mon oncle Harry se crient des noms. Même que ça arrive trop souvent à mon goût. Des fois, je fais semblant de dormir, je les entends s'engueuler pour un oui ou pour un non, pour des raisons que je comprends pas très bien. Ça me fait un peu peur, surtout quand j'entends aussi de drôles de bruits, comme des objets qu'ils se lancent par la tête et puis des coups et des cris. C'est dans ce temps-là que je te serre le plus fort dans mes bras, Antoine, pour te réconforter parce que je sais que tu as encore plus peur que moi. « C'est juste un cauchemar, ça va passer dès que le jour va se lever, tu vas voir », que je te dis, pour que tu t'endormes un peu moins inquiet.

Aujourd'hui, j'ai beau te serrer très fort, Antoine, ça ne te réconforte pas plus que moi. Je m'excuse encore pour hier. Je suis malade, vraiment malade, pas de doute là-dessus. Peut-être que je passerai pas la semaine, peut-être que je vais mourir comme ma grand-mère quand j'étais toute petite. C'est bien possible, mon Antoine. Peut-être même que je le souhaite un peu.

Pourtant, le docteur Bernier a assuré maman que j'étais en parfaite santé. Hier matin, quand je me suis levée avec cet air qui l'inquiétait tant, elle m'a amenée à la clinique sans rendez-vous avant d'aller travailler. Quand j'étais petite, j'aimais pas beaucoup aller là-bas à cause des piqûres et tout. Mais je suis une grande fille, maintenant, bientôt une jeune femme, maman arrête pas de me le répéter à toutes les sauces depuis tellement longtemps. Et chaque fois qu'elle le dit, mon oncle Harry approuve avec un sourire qui ressemble à celui qu'aurait pu avoir mon père, je pense. Le docteur m'a fait asseoir sur la table d'examen. Comme d'habitude, il a pris mon pouls avec son stéthoscope glacé qui donne des frissons dans le dos. Il a palpé ma gorge en me posant toutes sortes de questions auxquelles j'avais pas envie de répondre puis il m'a donné des petits coups sur les genoux avec son marteau en caoutchouc.

– Tout m'a l'air en ordre, la grande semble en parfaite santé, qu'il a dit, le docteur Bernier. Je ne vois vraiment pas matière à vous inquiéter, madame…

Maman n'en demandait pas davantage pour être rassurée. Le docteur Bernier m'a tendu un bonbon, comme quand il voulait se faire pardonner pour les piqûres dans le temps. J'ai même pas levé les yeux vers sa main, j'avais pas envie d'un bonbon. Maman m'a grondée pour cette impolitesse, mais le docteur Bernier en ferait pas un plat, avec le bonbon. En sortant de la clinique, mon oncle Harry a dit à ma mère que c'était rien, juste une petite crise, un caprice de ma part, mais qu'est-ce qu'il en sait, lui? Maman a répondu qu'elle avait pas de temps pour mes caprices d'enfant gâtée et j'ai hoché la tête. J'avais compris. Déjà qu'elle avait perdu toute sa patience, elle allait quand même pas perdre sa journée de travail en plus… Harry et elle se sont entendus pour qu'il aille la reconduire au magasin dans la voiture de maman, avant de rentrer à la maison avec moi. Je voulais pas que maman aille au travail, je voulais pas rentrer avec Harry, mais on m'a pas demandé mon avis, alors je me suis tue.

C'est au magasin que maman a fait la connaissance de mon oncle Harry. Il était un de ses clients les plus réguliers et les plus courtois aussi (c'est elle qui le dit). Au début, je le trouvais plutôt gentil, Harry, avec ma maman et moi. Ça lui faisait du bien à maman, je pense, d'avoir de nouveau un homme dans sa vie. Les premiers temps, il avait beaucoup d'attentions pour elle et pour moi aussi. Il nous achetait des cadeaux toutes les semaines. C'est même lui qui t'a offert à moi, pour remplacer mon vieux toutou usé que j'avais eu de papa à Noël, il y a une éternité. « T'es fou ! » qu'elle lui disait tout le temps à Harry, maman, même si elle était bien contente de se faire gâter. Je ne sais pas ce qui s'est passé, son comportement a changé. Peut-être qu'à force de se faire dire qu'il était fou, il l'est devenu pour de vrai un petit peu. Peut-être qu'il a lui aussi perdu sa patience en même temps que son emploi il y a quelques mois, c'est bien possible. En tout cas, c'est depuis ce temps-là qu'il s'est mis à boire de plus en plus de bouteilles de bière en regardant la télé. Peu importe l'heure de la journée, on le trouvait en permanence écrasé dans un fauteuil en face du petit écran, une bouteille de bière dans une main et la télécommande dans l'autre. On le trouve comme ça, pas toujours rasé, pas toujours habillé convenablement non plus, occupé à zapper sans arrêt d'un poste à l'autre. C'est drôle, si c'était moi qui n'arrivais pas à choisir une émission comme ça, ma mère n'aurait pas tardé à me faire des reproches. Mais Harry, elle le laissait faire sans rien dire, même si on voyait à ses yeux qu'elle aurait préféré qu'il se branche. Je dis c'est drôle, mais c'est juste une façon de parler parce que j'ai pas envie de rire. J'ai envie de rien, Antoine, je te le dis. Je suis malade. Je sais pas si je vais guérir.

Après avoir déposé maman au magasin, Harry a essayé de me parler, de se montrer gentil avec moi comme au début. Il a proposé qu'on aille se promener sur la montagne ou qu'on aille au parc d'attractions. Ça se sentait qu'il faisait des efforts pour m'amadouer, mais ça sentait aussi beaucoup la bière dans l'auto et je n'aime pas cette odeur. J'ai pas dit un mot à Harry, je l'ai même pas regardé. Je voulais rien savoir. Je voulais juste m'enfermer dans ma chambre et te serrer contre moi, Antoine, pour que tu me dises que c'est juste un cauchemar qui va passer. Mon oncle Harry a compris, alors il s'est tu et on est rentrés bien sagement à la maison. Comme d'habitude, il s'est ouvert une bouteille de bière et puis il s'est affalé dans son fauteuil devant la télé.

Moi, je me suis réfugiée ici, avec toi.

Le soir, contrairement à l'habitude, maman est rentrée relativement tôt du travail, sans doute à cause de moi. Elle se faisait du mauvais sang à mon sujet, ça se voyait. J'étais contente qu'elle rentre de bonne heure pour une fois, parce que je voulais pas rester à la maison seule avec Harry toute la soirée comme la veille. J'ai pas voulu sortir de ma chambre pour le souper. Maman en a encore fait tout un plat. Alors j'ai pris ma place à table, pour la forme. Ma mère avait acheté un pâté chinois tout préparé, mon mets préféré avec la lasagne, pour me faire plaisir, me remonter le moral. J'ai essayé de sourire, mais le cœur y était pas. Mon cœur, il me faisait mal, encore plus mal qu'à l'époque où j'espérais le retour de papa. Mon oncle Harry guettait mes moindres gestes, avec dans le regard quelque chose qui ressemblait à de la crainte. J'ai pas pris plus de deux bouchées, ce qui a eu l'air d'exaspérer ma mère. Elle est passée près de me gifler, mais Harry s'est interposé.

– Laisse-la tranquille, un peu, qu'il lui a dit sur un ton insupportablement doucereux. Tu vois bien qu'elle n'est pas dans son assiette. Elle mangera quand elle aura faim…

– J'ai pas besoin de tes conseils pour élever ma fille, tu sauras ! que ma mère a répliqué, hors d'elle.

Évidemment, leur échange a pas tardé à dégénérer en engueulade. J'ai quitté la table discrètement, tandis qu'ils se balançaient des vacheries. J'avais juste le goût de disparaître sous mes couvertures, de cesser d'exister. C'est là que je t'ai trouvé, Antoine. Pardonne-moi si au lieu de t'enlacer comme d'habitude je me suis emportée, que j'ai passé ma colère sur toi. C'est pas ma faute, je te jure. Je voyais rouge et noir. Je savais plus ce que je faisais. Je sentais juste que j'étais malade, gravement malade, et qu'il fallait que je me débarrasse de ce poids qui me pesait sur le cœur.

Aujourd'hui, maman est pas allée au magasin, sous prétexte de veiller sur moi. J'aurais eu le goût tout à l'heure qu'elle me prenne dans ses bras, qu'elle me serre très fort, comme quand j'étais petite et que j'avais fait un cauchemar. Mais elle l'a pas fait et j'ai pas osé le lui demander. Après tout, je suis une grande fille maintenant, plus un bébé qui chiale pour un oui ou pour un non. Alors je l'ai laissée sortir de ma chambre en claquant la porte, sans rien lui dire. Et maintenant je l'entends qui se chamaille avec son amoureux, qui n'est pas mon oncle, que je déteste de toute mon âme malade. Est-ce qu'elle a des soupçons sur ce qui s'est passé l'autre soir, pendant qu'elle était encore au travail ? Est-ce qu'elle se doute des jeux que m'a imposés mon oncle Harry, quand je me suis levée pour aller prendre un verre d'eau et que je l'ai trouvé avachi en face de la télé dans le salon, empestant la bière, le regard vide ? Est-ce qu'elle a au moins idée du mal qu'il m'a fait, ce mal à l'âme dont j'arrive même pas à parler, qui me reste coincé dans la gorge comme une boule de gomme avalée de travers ?

Non, sans doute que non. Elle sait rien de tout ça. Elle saura peut-être jamais...

Je suis désolée, Antoine, vraiment. J'aurais pas dû t'éventrer comme ça. Je sais pas ce qui m'a pris. Je regrette. Y avait comme une tempête en dedans de moi, il fallait qu'elle sorte. Tu mourras pas, mon Antoine. Si je lui demande poliment, maman va pouvoir te réparer, te recoudre le ventre, j'en suis sûre. Moi non plus, je vais pas mourir, je sais bien. De toute façon, je suis déjà un petit peu morte, l'autre soir. Mais je le dirai pas à maman. J'ai pas envie qu'elle s'énerve avec ça. Elle est tellement sensible, maman.

La maladie d'avale-tout

Mireille Villeneuve

S I JE VOUS PARLE de cette maladie qui a failli me coûter la vie, ce n'est pas que je m'en souvienne. À un an, j'étais beaucoup trop jeune pour commencer une collection de souvenirs. Mais j'ai entendu cette histoire de la bouche de mes parents tant de fois que je peux vous la raconter comme si c'était arrivé hier…

Laissez-moi d'abord vous décrire ce mal terrible. La maladie d'avale-tout se manifeste dès la plus tendre enfance. La jeune victime avale tous les petits objets placés à sa portée. Souvent, cette mauvaise habitude disparaît lorsque le petit quadrupède se met à marcher sur ses deux pattes. Cependant, il arrive que cette maladie se poursuive jusqu'à l'âge adulte. Elle devient alors beaucoup plus grave. En effet, on a déjà surpris certains grands malades avalant du brocoli, du fromage moisi, de la pieuvre et pire encore…

Pouah !

Même si mon père est un très bon médecin, il m'arrive d'être malade à l'occasion.

Il y a des maladies que les docteurs ne peuvent pas soigner, comme celle d'avaler tout ce qui nous tombe sous la main…

Croquer quelques chandelles d'anniversaire trempées dans le sucre glace ou mâchouiller les bâtons de sucettes, passe encore. Au pire, on n'a plus très faim pour le repas suivant. Mais il y a certaines choses qu'on ne devrait JAMAIS avaler, sous peine d'être VRAIMENT malade et même de se retrouver à l'hôpital…

Chez nous, la maladie d'avale-tout est héréditaire. De l'avis de mon papa docteur, les maladies héréditaires sont les plus difficiles à soigner. Elles sont un étrange cadeau de naissance offert par nos parents. Une sorte d'héritage impossible à refuser.

Ma mère m'a ainsi transmis la maladie d'avale-tout. Toute petite, elle adorait gruger les semelles de souliers et tout ce qui y restait collé. Étant fille de la campagne et voisine de fermiers, je vous laisse imaginer le goût de ces fameuses semelles…

À l'âge d'un an et des poussières, je me traînais encore sur les genoux. Une vraie vadrouille ! C'est sans doute pour cette raison que je trouvais tant de choses à me mettre sous la dent.

Le principal témoin dans cette affaire fut mon grand-père maternel. Souvent, papi Théo venait passer quelques jours à la maison. Il prenait le train et nous allions le chercher à la gare. Je guettais la tête blanche de mon grand-papa parmi les voyageurs. À son tour, il descendait péniblement du train, une main se cramponnant à la rampe du marchepied, et l'autre tenant une énorme valise en cuir brun.

Une fois rendu à la maison, grand-père déposait sa lourde valise sur le lit de sa chambre. Je n'étais jamais bien loin, car j'adorais l'odeur que dégageait la valise lorsqu'il l'ouvrait enfin. Un parfum de grand-père, mélange étonnant de lotion après-rasage et de tabac à pipe.

C'est peut-être la seule chose dont je me souvienne, car il n'a jamais changé de valise, ni de lotion ou de tabac… Même son pyjama rayé, bien plié sur le dessus, semblait toujours le même. Et puis, sous le pyjama, il avait souvent une surprise pour moi.

J'étais vraiment fascinée par ce grand homme un peu voûté, que je suivais partout dans la maison.

Lors des visites de Théo, ma mère en profitait pour sortir et faire des courses. Le fameux jour de cette terrible histoire, après le repas du midi, maman s'éclipsa pour quelques heures, me laissant en compagnie de mon papi.

Selon ma mère, pendant que je dépoussiérais les planchers avec ma salopette, grand-père entreprit la pose d'un tapis. Mon père, lui, affirme que Théo réparait quelques cadres. Moi, je crois qu'il voulait rafistoler mon petit coffre de bois. Grand-père, lui, ne s'en souvient plus… Mais tous les trois sont d'accord sur un point : sur le plancher, il y avait un sac de petits clous.

Au beau milieu de ce projet ambitieux, mon grand-père se mit à cogner des clous, c'est-à-dire qu'il ressentit un irrésistible besoin de faire la sieste. Il me déposa dans mon lit, présumant qu'il était temps pour moi aussi de faire dodo. Puis, il s'installa confortablement dans son fauteuil préféré. Je suis certaine qu'il a dû allumer le poste de radio et entreprendre de lire le journal en attendant le sommeil… il a toujours fait ça.

Grand-père était loin de se douter que depuis sa dernière visite, j'avais fait d'immenses progrès en alpinisme. J'escaladai très facilement les barreaux de mon lit et bientôt, je fus par terre, explorant le plancher de la maison.

Nul ne sait ce qui s'est passé entre le moment où j'ai quitté mon lit et le retour de ma mère, mais elle me trouva profondément endormie sur les genoux de papi, lui-même rendu au pays des songes.

Ça, je peux vous le prouver, photos à l'appui. Sur la première, nous dormons tous les deux. Sur la deuxième, papi vient de se réveiller. Si vous regardez de plus près, vous remarquez que je dors à poings fermés. Mais à l'intérieur d'une de mes mains, je tiens une petite poignée de clous…

À la vue de ces petits clous pointus, ma mère cessa illico la séance de photos. Elle était paniquée, car elle connaissait bien ma manie de tout porter à ma bouche.

La dernière fois, j'avais avalé quelques pièces d'un sou, pensant sans doute qu'elles étaient en chocolat. Les premiers symptômes de la maladie d'avale-tout se manifestèrent rapidement : gémissements, plaintes et hurlements. À l'âge de quinze mois, les seuls mots que je savais dire pour exprimer ma peine étaient :

– Bobo, maman !

Alarmée, ma mère prit ma température. Ma forte fièvre l'inquiéta vivement. D'ailleurs, elle a bien failli ne jamais en connaître la cause. Mais le lendemain, après une nuit mouvementée, les pièces d'un sou tombèrent dans le petit pot. Clouc ! Clouc ! Clouc !

Voilà pourquoi elle fut complètement affolée lorsqu'elle aperçut les petits clous dans ma menotte. Cette fois, les conséquences de la maladie d'avale-tout seraient sans doute fatales. Les petits clous pouvaient déchirer tous les organes qu'ils visiteraient et causer une grave hémorragie. Avaler des clous... même les fakirs hésitent à le faire.

Grand-père se mit alors à compter les petits clous, ceux de ma menotte et ceux qui restaient dans le sac. Il en vint à une horrible conclusion : il en manquait six !

Tout de suite, sans attendre les premiers symptômes, je fus conduite à l'hôpital où travaillait mon papa médecin. C'était un hôpital pour les grandes personnes. Je devais donc porter une immense jaquette pour les radiographies. Afin de tromper l'attente et de diriger les petits clous vers la bonne sortie, ma mère me faisait arpenter les corridors en me tenant par la main. Je fus sûrement la plus jeune patiente à se promener dans les couloirs de cet hôpital.

Plusieurs patients curieux questionnaient ma mère. Puis, comme le téléphone arabe, la nouvelle fit le tour de l'hôpital. Ce jour-là, je fus traitée comme un phénomène. J'étais la petite-fille-avaleuse-de-clous…

Le cou, l'estomac et les intestins furent passés au peigne fin. Je fus même hospitalisée jusqu'au lendemain. De petits clous, on ne trouva point. Ni sur les radiographies ni dans le petit pot…

La seule personne qui savait vraiment où étaient passés les six clous perdus, c'était moi.

Ils étaient tous restés dans ma menotte. Encore tout endormi, grand-père avait simplement oublié de compter les six clous qu'il avait déjà enfoncés.

Les petits clous, je ne voulais pas les manger ! Je voulais tout simplement aider grand-père à réparer… mon coffre à jouets.

Vous ne me croyez pas ? Regardez mon coffre, dessous, juste là… vous voyez bien les six petits clous.

Table

Dans la collection « Girouette »

1. *Le Petit Parrain* (*La Piste des Youfs* I), roman, Ann Lamontagne.
2. *Le Lézard et le chien galeux*, roman, François Beaulieu.
3. *S.O.S., un amoureux pour ma mère*, roman, François Beaulieu.
4. *La Cité des Murailles* (*La Piste des Youfs* II), roman, Ann Lamontagne.
5. *Le Cheval d'Isabelle*, roman, Sylvain Meunier.
6. *Sur les traces des Caméléons*, roman, Josée Ouimet.
7. *Mille millions de misères*, collectif de l'Association des écrivains québécois pour la jeunesse, sous la direction de Francine Allard.

PAO : Éditions Vents d'Ouest (1993) inc., Gatineau
Impression : Imprimerie Gauvin ltée
Gatineau

Achevé d'imprimer en septembre
deux mille deux

Imprimé au Canada